COMPRENDRE
ET INFLUENCER
LES GOUVERNEMENTS

Les Éditions Transcontinental inc.
1100, boul. René-Lévesque Ouest
24ᵉ étage
Montréal (Québec) H3B 4X9
Tél. : 514 392-9000
1 800 361-5479
www.livres.transcontinental.ca

Les Éditions de la Fondation de l'entrepreneurship
55, rue Marie-de-l'Incarnation
Bureau 201
Québec (Québec) G1N 3E9
Tél. : 418 646-1994, poste 222
1 800 661-2160, poste 222
www.entrepreneurship.qc.ca

La collection Entreprendre est une initiative conjointe de la Fondation de l'entrepreneurship et des Éditions Transcontinental visant à répondre aux besoins des futurs et des nouveaux entrepreneurs.

Pour connaître nos autres titres, tapez **www.livres.transcontinental.ca**. Pour bénéficier de nos tarifs spéciaux s'appliquant aux bibliothèques d'entreprise ou aux achats en gros, informez-vous au **1 866 800-2500**.

Catalogage avant publication de Bibliothèque et Archives nationales du Québec et Bibliothèque et Archives Canada

Facal, Joseph, 1961-
Comprendre et influencer les gouvernements
(Collection Entreprendre)
Publ. en collab. avec Éditions de la Fondation de l'entrepreneurship.

ISBN 978-2-89472-438-5 (Éditions Transcontinental)
ISBN 978-2-89521-139-6 (Éditions de la Fondation de l'entrepreneurship)

1. Affaires et politique - Canada. 2. Lobbying - Canada. 3. Négociations (Affaires) - Canada.
4. Affaires et politique - Québec (Province). I. Titre. II. Collection: Entreprendre (Montréal, Québec).

HD3616.C32F37 2010   322'.30971   C2010-940338-X

Révision : Martin Benoit
Correction : Sylvie Michelon
Photo de l'auteur : Jean Martin
Mise en pages : Diane Marquette
Conception graphique de la couverture : Studio Andrée Robillard
Impression : Transcontinental Gagné

Imprimé au Canada
© Les Éditions Transcontinental,
Dépôt légal – Bibliothèque et Archives nationales du Québec, 1ᵉʳ trimestre 2010
Bibliothèque et Archives Canada

Nous reconnaissons, pour nos activités d'édition, l'aide financière du gouvernement du Canada par l'entremise du Programme d'aide au développement de l'industrie de l'édition (PADIÉ). Nous remercions également la SODEC de son appui financier (programmes Aide à l'édition et Aide à la promotion).

Les Éditions Transcontinental sont membres de l'Association nationale des éditeurs de livres (ANEL).

Joseph Facal

COMPRENDRE
ET INFLUENCER
LES GOUVERNEMENTS

Les Éditions
Transcontinental

fondation de
l'entrepreneurship
ÉDITIONS

fondation de l'entrepreneurship

La **Fondation de l'entrepreneurship** s'est donné pour mission de promouvoir la culture entrepreneuriale comme moyen privilégié pour assurer le plein développement économique et social de toutes les régions du Québec.

Elle offre des produits et services incontournables pour les entrepreneurs tels le mentorat d'affaires, un service de haut calibre et disponible partout au Québec, une série de conférences ainsi que la plus vaste collection de livres de langue française dédiée au démarrage, à la gestion et à la croissance des entreprises. De plus, son centre de vigie et de recherche sur la culture entrepreneuriale, unique au monde, produit recherches, analyses et bulletins d'information sur les tendances mondiales et pratiques exemplaires en matière de sensibilisation et d'éducation à l'entrepreneurship.

La Fondation de l'entrepreneurship s'acquitte de sa mission grâce à l'expertise et au soutien financier de plusieurs organisations.

Partenaires :

Gouverneurs :

Collaborateurs :

Associés gouvernementaux :

www.entrepreneurship.qc.ca   fondation@entrepreneurship.qc.ca

À mes étudiants, sans qui…

Table des matières

| 8 |

Introduction

« *Get into politics or get out of business* »
Texas Association of Business

Ce livre trouve son origine dans un cours de MBA que je donne depuis quelques années à HEC Montréal. J'ai pensé qu'il pouvait être utile d'en porter les grandes lignes à la connaissance d'un public plus large.

Les gens d'affaires sont continuellement aux prises avec nos gouvernements. Pensez-y : non seulement êtes-vous touché par les grands choix politiques que font les élus fédéraux, provinciaux et municipaux, mais vous l'êtes aussi par les innombrables décisions, petites ou grandes, prises par des milliers de fonctionnaires qui ne sont pas sous les feux de la rampe*.

Toutes les dimensions de votre entreprise sont affectées par les lois, les règlements, les normes, les programmes administrés par nos gouvernements, mais aussi par ce que ces derniers ne font pas et que vous souhaiteriez qu'ils fassent.

Absolument toutes : impôts, taxes, subventions, permis, quotas, relations de travail, appels d'offres, importations, exportations, formation des travailleurs, régimes de retraite, accommodements raisonnables, et j'en passe.

Les gouvernements sont parfois vos clients, parfois vos concurrents, parfois vos fournisseurs directs : pensez par exemple à votre approvisionnement en électricité. Ils prennent aussi généralement en charge certaines dimensions de la vie collective souvent fondamentales pour votre entreprise : autoroutes, éducation, soins de santé, ouverture ou fermeture d'un marché, etc. Ils sont également les arbitres qui surveillent en permanence les règles de la partie que vos concurrents et vous disputez. Ils changent d'ailleurs souvent ces règles en cours de match... sans nécessairement vous prévenir.

Bref, de mille et une manières directes ou indirectes, ce que font les fonctionnaires, les ministres et les députés dans leurs rôles respectifs vous influence. Trop souvent, vous ne vous en rendez compte que quand il est trop tard.

---

* On utilise habituellement le mot « État » pour englober l'ensemble des institutions publiques encadrant la vie collective : ministères, sociétés d'État, tribunaux, police, armée, etc. Le mot « gouvernement », lui, désigne le plus souvent l'équipe élue pour gouverner et ses plus proches collaborateurs. J'utiliserai les deux indistinctement, afin de simplifier mon propos.

Soyons francs : les gouvernements vous semblent « pachydermiques », opaques et souvent irrationnels. Les fonctionnaires sont pour vous des parangons de lenteur et d'inefficacité, et vous êtes convaincu que les politiciens vous disent à peu près toujours seulement ce que vous voulez entendre.

Ce n'est ni tout à fait vrai, ni tout à fait faux, mais ils sont ce qu'ils sont, et vous devez composer avec eux. Ils ont du pouvoir, du vrai, et ils en ont sur vous...

Souvent, vous avez envie de vous arracher les cheveux et de jurer. Même quand les partis au pouvoir changent, la « machine » administrative, elle, demeure. Désolé, mais asseoir votre stratégie ou, pire, votre absence de stratégie sur vos préjugés ou votre mauvaise humeur fait courir d'énormes risques inutiles à votre entreprise.

Mettez-vous aussi une chose en tête : vous avez parfaitement le droit d'essayer d'influencer les actions des gouvernements, pour qu'ils fassent davantage ce qui vous aide et moins ce qui vous nuit.

C'est d'ailleurs ce que vos concurrents font pendant que vous lisez ces lignes, de même que toutes sortes de groupes qui ne vous veulent pas nécessairement du bien. Dites-vous que, si vous ne tentez pas d'influencer les gouvernements, d'autres s'en chargeront... et vous subirez les résultats de leurs actions.

Cela dit, il est possible que vous ne sachiez pas comment vous y prendre. Par où commencer ? À quelle porte frapper ? À qui vous adresser ? Qui décide vraiment ? Que dire ? Comment le dire ? Votre député peut-il vous aider ? Dans votre entreprise, qui doit faire ces démarches ? Un de vos cadres ou vous-même ? Après tout, combien d'entreprises ont réellement les moyens d'embaucher une firme de relations gouvernementales qui fournira ce service clés en main ?

Ce livre cherche à démystifier tout cela. Je vous fournis une carte routière et des outils concrets pour que les gouvernements deviennent, dans la mesure du possible, des atouts dans votre jeu plutôt que l'inverse. Je vous propose un modèle simple et pratique qui vous aidera à construire une stratégie visant à influencer les décisions des gouvernements dans le sens de vos intérêts légitimes.

Fondamentalement, ce modèle découle des réponses à quelques questions de base :

- De quelles façons les gouvernements influencent-ils la vie de votre entreprise ?

- Quelle place précise devriez-vous donner aux gouvernements, en fonction de leurs responsabilités respectives, dans votre stratégie d'entreprise ?

- Que voulez-vous obtenir d'eux *exactement* ?

- Comment faut-il vous organiser ?

- Qui rencontrer ?

- Que dire et comment le dire pour être convaincant ?

Il n'y a évidemment pas de réponse universelle à ces questions. Les recettes magiques n'existent pas. En revanche, il y a des façons de faire éprouvées, des conseils à garder en tête… et des pièges à éviter.

En toute modestie, je peux assurer que le succès du cours dont ce livre est tiré ne se dément pas. J'ai la lucidité de penser que c'est le sujet et non le professeur qui est la cause de cette réussite. Les commentaires des étudiants soulignent systématiquement que le cours aborde des dimensions pratiques fondamentales injustement négligées dans les livres de management et les écoles de gestion. Le souci de la vérité m'oblige aussi à dire que la compréhension qu'ont les étudiants, de même que les gens d'affaires, du fonctionnement des gouvernements est souvent caricaturale et schématique, pour rester poli.

Quand j'étais ministre, j'ai souvent constaté à quel point les milieux d'affaires, même au plus haut niveau, étaient mal préparés pour se frotter aux gouvernements. Par exemple, il se peut que vous vouliez absolument rencontrer le ministre en personne, alors que l'affaire a été réglée il y a des mois à un échelon très inférieur : un fonctionnaire dont vous avez sous-estimé l'importance a déjà tranché, et votre entreprise a entrepris son action trop tard.

Ce livre s'adresse à tous les gestionnaires actuels ou futurs, œuvrant dans le secteur privé au Québec, dont l'entreprise, qu'il s'agisse d'une multinationale ou d'une PME, est affectée par ce que les fonctionnaires et les élus fédéraux, provinciaux et municipaux font (bien ou mal), ne font pas, font trop ou ne font pas assez.

Au Québec, les ouvrages sur le sujet sont rarissimes, et ceux qui existent ne font pas l'affaire. Ce n'est pas un reproche. Pour la plupart, ils sont rédigés à l'intention d'étudiants en science politique qui se destinent à des carrières de fonctionnaires, de journalistes, d'activistes sociocommunautaires ou de politiciens.

Dans ces ouvrages, la catégorie générale des « groupes d'intérêt » englobe souvent les milieux d'affaires, aux côtés des syndicats ou des environnementalistes, sans trop faire ressortir leur spécificité ni fournir d'outils pratiques à ceux qui auront à prendre des décisions importantes.

L'ouvrage que vous avez entre les mains donne des repères concrets. Il est conçu pour être opérationnel au quotidien et non pour être définitivement rangé une fois lu. Il est court, à jour, centré sur Québec et Ottawa, et il s'adresse à un public québécois.

Je peux vous assurer qu'en plus de combler un vide sur un sujet crucial, l'ouvrage :

- ne nécessite pas une connaissance préalable des arcanes de la fonction publique et des cabinets ministériels ;

- évite le jargon et les théories fumeuses ;

- fournit des schémas illustratifs clairs et parlants ;

- prend la forme d'une série d'étapes à suivre, avec des devoirs à faire ;

- débouche sur un véritable modèle qui augmentera vos chances concrètes de succès.

Le premier chapitre explique pourquoi il est crucial de vous soucier des gouvernements. Le deuxième et le troisième liquident quelques idées fréquemment véhiculées à propos du fonctionnement des gouvernements et du comportement des élus et des fonctionnaires. Le quatrième propose un modèle à suivre pour bâtir une stratégie efficace. Quant aux chapitres 5 à 8, ils exposent chacune des étapes de construction de cette stratégie.

Je remercie très sincèrement tous mes étudiants, de même que mes amis dans le milieu des relations gouvernementales, qui, par leurs questions et leurs commentaires, m'ont permis de clarifier mes propres idées sur le sujet.

1

À vos risques
et périls

Avant d'entrer dans le monde de la politique, pendant que j'y œuvrais
et après l'avoir quitté, j'ai croisé des tas d'entrepreneurs ou de cadres
du secteur privé. Certains jouent superbement la carte des relations
gouvernementales, mais ils constituent une infime minorité. La majorité n'y comprend rien, n'y connaît rien, ou si peu.

C'est étonnant, quand on y pense. Un homme d'affaires sérieux qui
envisage, disons, de se porter acquéreur d'une franchise de restauration
rapide étudiera en détail le secteur avant de plonger. Il ne songera pourtant pas à faire ses devoirs dans ses relations fréquentes et souvent
déterminantes avec les gouvernements... et subira les conséquences
qu'on devine. Les erreurs les plus courantes sont faciles à répertorier.

Les 8 erreurs classiques de l'entreprise

Comme vous le constaterez, elles sont liées les unes aux autres : parce que vous n'avez pas fait vos devoirs avant de plonger, vous commettez habituellement ces erreurs en cascade.

1. Dans vos rapports avec les gouvernements, vous êtes généralement réactif plutôt que proactif.

Évidemment, les actions des gouvernements ne sont pas toujours prévisibles. Même les entreprises les mieux préparées peuvent être surprises. Cependant, comme les gouvernements sont lents et lourds, ce qui est rendu public est généralement le fruit d'un long travail qui s'est déroulé dans les entrailles de l'appareil d'État.

Au lieu de chercher à influencer les actions gouvernementales dès leur conception, vous vous mettez en branle une fois que vous êtes devant le fait accompli ou quand vous entendez dire que le gouvernement se prépare peut-être à… Généralement, il est déjà trop tard. Dans l'immense majorité des cas, l'entreprise joue du hockey défensif.

2. Vous n'avez pas d'objectifs clairs et réalistes.

Vous rencontrez un fonctionnaire, un élu ou vous donnez une entrevue. À part vous plaindre, qu'attendez-vous au juste de la part du gouvernement ? Simplement et précisément. Si vous-même avez de la peine à formuler vos objectifs, comment votre interlocuteur pourrait-il concrètement vous venir en aide ?

3. Vous n'avez pas de plan B.

Admettons que vous êtes capable de dire précisément ce que vous voulez. Bravo. Supposons maintenant qu'on vous explique que c'est impossible, parce que cela créerait un précédent non souhaité ou parce que le parti au pouvoir a clairement annoncé qu'il ferait le contraire au cours de sa campagne électorale.

Avez-vous d'autres options réalistes à proposer? Réalistes, évidemment, du point de vue de celui qui est en position de vous dire oui ou non. Vous trouverez toujours que *vos* propositions sont sensées, mais c'est l'opinion de l'autre qui est déterminante ici.

4. Vous avez mal évalué votre vis-à-vis, de même que les autres acteurs.

On a toujours davantage envie d'aider une personne qui nous fait une proposition gagnant-gagnant qu'un individu qui ne se préoccupe que des retombées positives pour lui.

Pour élaborer une proposition que l'élu ou le fonctionnaire trouvera séduisante, vous devez vous poser quelques questions au préalable. Quels sont les objectifs de la personne que vous rencontrez? Quelles sont ses motivations, ses intérêts, ses valeurs, sa feuille de route, etc.?

Plus largement, qui sont vos alliés autour de l'enjeu qui vous préoccupe? Qui sont vos adversaires? Un concurrent féroce sur le plan commercial peut devenir un allié si vous avez des intérêts communs face au gouvernement. Par exemple, Alcoa et Rio Tinto (ex-Alcan) sont des entreprises rivales, mais elles ont toutes deux intérêt à ce qu'Hydro-Québec continue à leur fournir de l'électricité à des tarifs préférentiels.

5. Vous êtes un… parmi beaucoup d'autres.

Dans leurs rapports avec les gouvernements, les gens d'affaires agissent souvent comme si leurs relations se déroulaient dans une sorte de bulle où il n'y aurait qu'eux deux. Or, ce n'est pas le cas.

Les gouvernements doivent tenir compte d'une multitude d'acteurs, qui cherchent eux aussi à faire avancer leurs pions: syndicats, autres entreprises, activistes, partis d'opposition, associations professionnelles, etc.

Vous vous entretenez avec un fonctionnaire, voire un ministre. Il vous écoute respectueusement, et vous pensez avoir marqué des points. Sachez que votre interlocuteur a sans doute déjà rencontré (ou s'apprête à rencontrer) un groupe qui lui dira exactement le contraire de ce que vous avez exposé. Avez-vous tenu compte de cette réalité ?

6. Vous frappez à la mauvaise porte.

C'est une des erreurs les plus communes. Vous vous adressez à un élu, pensant qu'il détient le « vrai » pouvoir, alors que votre cas soulève un enjeu purement technique, par exemple votre admissibilité à un programme en vertu de critères administratifs.

Inversement, vous demandez à un fonctionnaire de porter un jugement délicat, de vous donner le bénéfice du doute, de prendre une initiative majeure, alors que ce n'est pas son rôle.

7. Trop peu, trop tard.

Tout comme vous et moi, les dirigeants politiques n'aiment pas perdre la face. Quand un gouvernement annonce publiquement ce qu'il va faire, il est sans doute trop tard pour arrêter le train, car les responsables devraient alors justifier leur changement de cap, et cela serait perçu comme de l'improvisation. Au mieux, vous obtiendrez un délai ou un ajustement.

Si votre problème ne peut être réglé que par l'intervention personnelle d'un ministre, il est sans doute aussi trop tard. Toute la hiérarchie administrative est passée avant vous. De toute façon, ces cas sont rarissimes. L'immense majorité des problèmes se règle sur le plan administratif, à des paliers très inférieurs.

8. Vous êtes désorganisé et vous paniquez.

Cette erreur résume un peu ce qui vient d'être dit.

Vous n'avez pas fait vos devoirs, alors, forcément, quand le signal d'alarme se déclenche, vous vous précipitez vers les responsables gouvernementaux sans idée claire, sans plan précis, sans message limpide… Quant au train, il a probablement déjà quitté la gare. Tant pis pour vous.

Pourquoi l'entreprise est-elle si mal préparée?

Les erreurs que je viens d'évoquer ont évidemment des causes qu'il faut comprendre. À moins d'un coup de chance, on ne guérit le patient que si on diagnostique correctement les sources du mal.

Je vois **5 causes** fondamentales aux fréquents déboires des entreprises devant les gouvernements. Ces causes sont elles aussi souvent liées, et elles se renforcent mutuellement.

1. Vous avez beaucoup, beaucoup de préjugés.

Ne dites pas le contraire : vous avez une piètre opinion des fonctionnaires et des politiciens. Depuis des lunes, les sondages montrent que ce sentiment est partagé par une vaste majorité.

Vous trouvez que les fonctionnaires sont, en règle générale, lents et improductifs. Quant à votre opinion des politiciens, elle est souvent exprimée dans des termes que nous n'écrirons pas ici, car nous sommes entre gens bien élevés. Évidemment, tout cela se discute. Vous pouvez évoquer mille anecdotes pour illustrer vos propos, et vos interlocuteurs peuvent avancer mille explications pour vous convaincre que vous exagérez.

L'essentiel est que vous percevez les gouvernements comme une nuisance… alors que vous en avez absolument besoin et qu'ils peuvent parfois être de redoutables atouts stratégiques pour vous (on y viendra). Vous avez aussi un réflexe de dédain à l'endroit de la joute politique et de ceux qui la pratiquent.

Or, les préjugés, quels qu'ils soient, vous empêchent d'être objectif et rationnel. Ils déforment et limitent votre analyse, et l'évaluation biaisée d'une situation débouche rarement sur de bonnes décisions.

2. Vous ne vous engagez pas de façon durable à cultiver vos relations avec le gouvernement et les groupes sociaux.

C'est souvent une conséquence de l'attitude qu'on vient d'évoquer, ainsi qu'une des causes de vos déboires.

Comme vous n'avez pas consacré le temps, l'énergie et les ressources nécessaires pour cultiver vos relations avec les élus, les journalistes, les organismes communautaires et tutti quanti, vous ne les connaissez pas, et ils ne vous connaissent pas. Quand vous aurez besoin d'eux, il vous faudra partir de zéro, et le temps pressera. C'est une mauvaise idée d'attendre que votre chalet soit en feu pour enfin vous décider à aller parler à vos voisins.

3. La dimension gouvernementale n'est pas pleinement intégrée à la stratégie de votre entreprise.

L'agenda social de certains gens d'affaires gruge un temps et une énergie considérables : dîner-gala de la fondation de la maladie X ou Y, commandite accordée au tournoi peewee de Z, 5 à 7 avec les élus de la région, etc. Rien de cela n'est vraiment intégré à la stratégie de l'entreprise, et ces occasions ne sont pas mises à profit pour faire avancer des points précis.

Dans un contexte plus large, le plan de développement de certaines entreprises présente le gouvernement comme une créature floue et distante, évoluant à l'arrière-plan. Dans de tels cas, les responsables n'ont pas analysé à fond les impacts positifs et négatifs que le gouvernement a ou peut avoir sur leur organisation.

4. Défendre franchement et vigoureusement vos intérêts vous met mal à l'aise et vous fait sentir un peu coupable.

L'entreprise capitaliste n'a pas toujours bonne presse chez nous. Beaucoup de nos concitoyens ne voient pas en elle le moteur premier de la prospérité collective, et ils la considèrent plutôt comme une sorte de mal nécessaire.

On lui reproche sa rapacité, sa gourmandise, son influence occulte sur les élus, les subventions qu'elle recevrait par millions, les paradis fiscaux dont elle use et abuse, les mises à pied « sauvages » auxquelles elle se livre, etc. On connaît la litanie. Ici encore, celle-ci contient, selon les cas, des parts variables de vrai et de faux.

Pour dire les choses autrement, l'intérêt privé est généralement perçu comme moralement inférieur à l'intérêt public, au bien commun dont l'État serait le défenseur. De nombreux groupes sociaux disent aussi défendre la veuve et l'orphelin de façon désintéressée, et vous, vous ne pensez qu'à vous enrichir ! Que vous avez l'âme basse ! On ne vous endure que parce que vous créez des jobs. Tenez-vous-le pour dit, O.K. ?

Je caricature, bien sûr, mais vous avez évidemment reconnu la musique. Cela vous influence, même si vous pensez que ce n'est pas le cas. Vous culpabilisez. Vous avez intériorisé ce point de vue et vous avez mauvaise conscience.

Parfois, sans même vous en rendre compte, vous raisonnez à partir de ces prémisses et vous vous excusez presque d'exister : « Vous savez, on n'est pas si pires, et puis, on est bons pour la région. » Résultat : alors que vous êtes entouré de groupes qui, eux, ne se gênent pas pour dire ce qu'ils veulent, vous vous retenez de le faire.

Chez nous, le climat social est fortement imprégné de **3 mythes** qui jouent contre vous[1] :

- Le **premier**, c'est que le lobbying, quand il est exercé par l'entreprise privée, a quelque chose d'antidémocratique, ou de moins démocratique que celui exercé par, disons, un syndicat ou un regroupement de défense des locataires. Le vôtre serait contraire à la volonté populaire, à l'intérêt général ou aux intérêts du « vrai monde ».

  Faux. C'est exactement le contraire. Le lobbying, c'est la démocratie en action.

  Une société est un assemblage disparate d'intérêts les plus divers. La libre compétition entre ces derniers, dûment encadrée par des lois évidemment, fait vivre la démocratie. Votre entreprise a donc autant le droit que quiconque de se faire entendre. Il est certain que le bien commun et l'intérêt général doivent prévaloir, mais il n'existe pas de définition unanime, ni même largement partagée, de ce qu'ils sont. La démocratie est faite de désaccords, donc de débats et d'opinions qui évoluent.

  En fait, il est profondément antidémocratique d'insinuer que les grands choix collectifs devraient être laissés entre les mains de dirigeants gouvernementaux qui, eux seuls, sauraient ce qui est bon pour nous. Il est encore pire de laisser entendre que l'entreprise devrait rester muette pendant que les autres acteurs sociaux feraient valoir des points de vue qui, eux, seraient purs et nobles.

- Le **deuxième** mythe, c'est que le lobbying est en quelque sorte une arme réservée aux puissants, parce qu'eux seuls peuvent avoir accès aux décideurs gouvernementaux.

  Faux encore.

  Oui, les puissants obtiennent parfois des privilèges indus. Cependant, l'État est fondamentalement une gigantesque machine de redistribution de la richesse du haut vers le bas. En 2006, seulement 3,2 % des contribuables québécois déclaraient des revenus annuels de plus de 100 000 $, mais ils versaient environ 29 % du total de l'impôt sur le revenu recueilli par le gouvernement du Québec, soit neuf fois leur poids démographique[2].

• Le **troisième** mythe, c'est que le lobbying est une pratique ténébreuse qui se fait dans l'ombre, parce que ceux qui l'exercent ont des choses à cacher, et que ce sont leurs contributions aux caisses électorales des partis qui leur procurent un accès privilégié à l'appareil d'État.

Encore faux pour l'essentiel.

On y reviendra plus tard en détail, mais disons pour le moment que, contrairement à ce qu'avance un préjugé tenace, le processus d'élaboration des décisions gouvernementales, notamment des lois, est beaucoup plus ouvert et transparent qu'on se l'imagine. **Encore faut-il accepter de s'y investir.**

Quant aux contributions aux partis politiques, elles peuvent certes faciliter un retour d'appel ou l'obtention d'un rendez-vous, mais elles ne suffisent pas pour « acheter » la décision souhaitée. Pas chez nous, en tout cas... Bien sûr, il faut que ces montants soient versés dans le respect de l'esprit et de la lettre des lois, ce qui n'est pas toujours le cas.

Ceci dit, revenons aux causes des déboires des entreprises.

5. Peu de gens d'affaires connaissent et comprennent vraiment le fonctionnement des gouvernements.

C'est la même chose pour la plupart des professeurs qui forment les gestionnaires de demain. Pourquoi ? C'est élémentaire : on passe généralement la majeure partie de sa carrière dans le secteur privé ou dans le secteur public. Les personnes qui ont une connaissance concrète des deux sont assez rares. De nombreux gens d'affaires ne savent donc pas vraiment comment s'y prendre avec l'État.

De plus en plus, beaucoup d'entre eux ont des formations en administration des affaires. Or, la vérité est que nos écoles de gestion ne s'attardent guère à expliquer les rouages de nos administrations publiques aux futurs managers du secteur privé. Ce genre de cours est pourtant un incontournable dans les écoles de gestion du Canada anglais ou des États-Unis.

Rien de tout cela ne constitue un obstacle insurmontable. Encore faut-il ne pas commettre l'erreur de sous-estimer un acteur qui a le bras long. Beaucoup plus long, en fait, que ce que vous croyez.

L'importance des gouvernements pour l'entreprise

Voici une liste non exhaustive des actions que posent nos gouvernements et qui touchent votre entreprise[3].

Nos gouvernements cherchent, avec plus ou moins de succès, à stimuler la croissance économique ou à prévenir l'inflation.

Pour cela, ils disposent d'une série de leviers, comme les politiques fiscales ou monétaires (qui s'exercent par l'intermédiaire d'une banque centrale indépendante dont ils nomment la direction). Ils peuvent aussi lancer de grands chantiers publics, devancer ou retarder des projets, privilégier des secteurs considérés comme prometteurs ou cesser de soutenir des secteurs jugés en déclin. Tout cela vous touche directement.

Nous sortons péniblement d'une des pires crises économiques depuis les années 30. Vers quels acteurs nous sommes-nous naturellement tournés pour qu'ils concoctent à toute vitesse des plans de relance ?

Par leurs dépenses, nos gouvernements sont ceux qui injectent le plus d'argent dans l'économie. Le budget annuel de dépenses du gouvernement du Québec dépasse maintenant largement le cap des 60 milliards de dollars. Multipliez par quatre et vous obtiendrez approximativement celui du gouvernement fédéral. Qui peut en dire autant ? En 2009, le gouvernement québécois comptait dépenser environ 26,8 milliards de dollars pour la santé et les services sociaux, et 14,4 milliards de dollars pour l'éducation, dont 60 % environ en salaires et en honoraires.

Nos gouvernements subventionnent de nombreuses entreprises.

Ils le font parfois indirectement en fournissant de l'électricité à des tarifs préférentiels ou en donnant des congés temporaires de cotisations ou de taxes. Parfois, leur action est plus directe : pensons à l'entreprise Bombardier, qui menace périodiquement de déménager sa production si elle n'est pas subventionnée par nos gouvernements. Il arrive même que ces derniers paient une partie des salaires lorsque certaines catégories de personnes sont embauchées.

Nos gouvernements sont les plus gros acheteurs de biens et de services.

Ils achètent de tout, depuis des avions jusqu'à des trombones. Et s'ils devenaient vos clients ?

Nos gouvernements produisent et distribuent des services dont vous avez absolument besoin.

Éducation, santé, infrastructures routières, électricité, services postaux... Vous les tenez pour acquis jusqu'au jour où survient un événement qui vous fait réaliser leur importance cruciale pour votre entreprise.

Nos gouvernements taxent les profits, les revenus, les gains en capital, les investissements des entreprises et des particuliers.

Tout commentaire serait ici superflu.

Ils font la promotion des exportations, ou protègent les industries locales.

Si vous voulez percer dans un marché étranger ou protéger les entrées que vous y avez, vous comptez sur les gouvernements pour vous aider.

Pensez au conflit canado-américain sur le bois d'œuvre ou aux missions d'Équipe Canada en Chine.

Par ailleurs, si vous estimez être l'objet d'une concurrence déloyale sur votre propre territoire de la part de manufacturiers étrangers, qui versent des salaires de misère à leurs ouvriers ou qui sont grandement subventionnés par les gouvernements de leurs pays, à qui vous adresserez-vous ?

Nos gouvernements offrent des prêts, des garanties de prêts, voire de l'assurance.

Cela varie bien sûr selon la conjoncture et l'idéologie du parti au pouvoir, mais divers programmes de prêts ou de garanties de prêts ont été, au fil des années, mis sur pied.

Dans le domaine agricole, par exemple, le gouvernement verse carrément des revenus de compensation pour protéger les producteurs des fluctuations des prix du marché. On ne se penchera pas ici sur la question du bien-fondé de ces politiques.

Nos gouvernements possèdent des entreprises publiques.

L'État n'est pas seulement une sorte d'arbitre au-dessus des autres acteurs ; il est lui-même un acteur commercial. Pensons par exemple à son rôle, au Québec, dans la vente d'alcool. Autre exemple : si votre entreprise se spécialise dans le transport de courrier et de colis, Postes Canada est votre concurrent direct.

Nos gouvernements sont des partenaires dans de nombreuses entreprises mixtes.

Au Québec, le gouvernement, par l'intermédiaire de la Caisse de dépôt ou de la Société générale de financement (SGF), détient des intérêts importants dans de nombreuses entreprises.

Quand Quebecor a voulu se porter acquéreur de Vidéotron, la Caisse de dépôt l'a aidé à financer la transaction, parce qu'on ne souhaitait pas que le câblodistributeur passe aux mains de Rogers et ne soit plus sous les commandes des Québécois. Souvenons-nous aussi des centaines de millions engagés par la SGF dans les projets Alouette, Magnolia, Gaspésia et tant d'autres.

Nos gouvernements réglementent certains prix, fixent des quotas, octroient des permis.

Les prix de certaines denrées alimentaires sont fixés par le gouvernement et non par le marché. Chaque acte médical a un tarif fixe. Les hausses de loyer sont étroitement encadrées. Les quantités qu'on « produit » de certains biens, comme le lait ou le poisson, sont déterminées grâce à des quotas établis par les gouvernements à la suite de négociations avec les producteurs. Des permis gouvernementaux (je considère ici l'administration municipale comme un palier de gouvernement) sont requis pour construire une maison, la rénover, installer une piscine, etc.

Nos gouvernements ont, ces dernières années, beaucoup étendu les droits et libertés des individus.

Pensez, par exemple, à l'impact que peut avoir sur la vie interne d'une entreprise le fait de vouloir – car ce n'est pas toujours une obligation, contrairement à ce qu'on croit souvent – tenir compte des croyances religieuses de certains employés : jours de congé, menus spéciaux, lieux et moments pour la prière, refus de porter un casque protecteur, refus de collaborer avec des personnes de l'autre sexe, etc.

Des problématiques comme les allégations de harcèlement sexuel, qui peuvent lourdement miner le climat de travail, sont aussi prises beaucoup plus au sérieux que jadis par les gouvernements et les tribunaux.

Le commerce et les relations de travail sont aujourd'hui très étroitement encadrés par des lois.

Pensez-y. Le gouvernement fixe le cadre légal à l'intérieur duquel se négocient les conventions collectives dans le secteur privé. Dans les secteurs public et parapublic, plus d'un demi-million de travailleurs québécois ont des conditions de travail issues de négociations avec l'État, qui est leur employeur.

La gestion du temps supplémentaire, celle des congés de maternité et de paternité, la détermination du caractère légal ou illégal d'une grève, du caractère essentiel ou moins important d'un service public en cas de débrayage, tout cela met en cause le gouvernement. Dans les conflits qui s'embourbent, les parties se tournent fréquemment vers le gouvernement pour lui demander de nommer un médiateur ou un arbitre.

Au nom de l'équité, la loi étend maintenant progressivement la révision obligatoire des échelles salariales au profit des femmes. Des décrets gouvernementaux haussent aussi régulièrement le salaire minimum. Tout cela vous touche, ou touche vos fournisseurs ou vos sous-traitants.

Il existe aussi une panoplie de lois sur les faillites, la propriété intellectuelle, les heures d'ouverture des commerces, etc.

Nos gouvernements viennent parfois au secours d'entreprises au bord de l'insolvabilité.

Combien de centaines de millions de dollars les contribuables canadiens ont-ils versés pour empêcher la faillite d'Air Canada ? Combien d'argent public a-t-on engagé pour maintenir artificiellement en vie l'industrie des courses de chevaux ? Chaque fois que le Grand Prix de Formule 1 de Montréal est menacé, vers qui se tourne-t-on ? Voyez l'industrie canadienne de l'automobile, concentrée en Ontario : dans la foulée des déboires des grands constructeurs américains, elle implore le gouvernement fédéral de venir à son secours.

Comme on dit, *the list goes on and on...*

Nos gouvernements soutiennent financièrement de nombreux groupes de pression.

Allez à votre fenêtre. Voyez-vous ces manifestants qui brandissent des pancartes et qui scandent des slogans hostiles? Creusez un peu. Il y a de fortes chances qu'une partie de leurs fonds viennent de sources gouvernementales.

Un acteur plus central que jamais

Un des clichés les plus fréquemment entendus est que nous vivons à une époque où les États ont de moins en moins d'importance. N'en croyez rien. C'est une bêtise monumentale.

Voici quelques raisons pour lesquelles les gouvernements continueront d'avoir une importance stratégique pour les entreprises.

La vague de la mondialisation continuera à déferler.

Fondamentalement, la mondialisation est l'intensification et l'accélération des échanges économiques, et de la circulation des capitaux et des personnes. Elle renforce donc l'interdépendance économique, politique et technologique entre les peuples. Ce processus connaîtra des soubresauts mais il est, pour l'essentiel, irréversible.

Cela donne souvent l'impression que la partie se joue désormais au-dessus des têtes de nos gouvernements. Quand une multinationale étrangère annonce des fermetures d'usines et des milliers de mises à pied, nos élus sont largement impuissants. Avec un clic de souris d'ordinateur, on déplace aussi des milliards d'un bout à l'autre de la planète en moins d'une seconde, et nos gouvernements sont mis devant le fait accompli.

Oui, la mondialisation transforme certaines des fonctions traditionnelles de l'État, mais cela ne veut pas dire qu'elle les fait disparaître. Elle accroît aussi l'importance d'autres fonctions étatiques et fait même naître de nouveaux rôles gouvernementaux.

De plus en plus, les entreprises multinationales attisent la concurrence entre les États, puis elles s'installent chez ceux qui leur offrent les meilleures conditions. Les gouvernements sont donc de plus en plus contraints de se soucier de leur efficacité dans la livraison des services publics et d'adopter des politiques économiques, fiscales, de forma-tion de la main-d'œuvre, de RD, d'investissement dans les infrastruc-tures de transport visant à attirer les investisseurs étrangers. Tout cela vous touche directement.

Il est vrai que les États sont de plus en plus liés par des ententes inter-nationales qui limitent leur droit d'imposer des mesures protection-nistes. C'est surtout au sein de l'Organisation mondiale du commerce (OMC) que se négocient les nouvelles règles du commerce mondial. Et qui siège à l'OMC ? Qui mène les négociations ? Les gouvernements des États souverains.

On observe un autre phénomène frappant. Le pouvoir politique semble s'envoler « vers le haut » à mesure que les responsabilités traditionnelles des États sont transférées aux forums décisionnels internationaux, mais le pouvoir politique se recompose aussi « depuis la base ».

La mondialisation attise en effet le désir des populations, qui sont plus instruites et informées que jadis, d'être davantage engagées dans les décisions qui les concernent. Voyez l'importance stratégique accrue que prennent les administrations municipales. Voyez l'implication des gens dans les conseils d'établissement des écoles ou des garderies de leurs enfants.

Enfin, mondialisation ou pas, on ne voit pas qui d'autre que l'État pourrait assumer les fonctions de base comme la police, l'armée, les tribunaux, la majeure partie de l'éducation primaire et secondaire, la majorité des soins de santé, etc.

Bref, il est faux de dire que la mondialisation diminue l'importance des gouvernements.

Le bouleversement démographique ne fait que commencer.

Dans les sociétés occidentales, on vit très vieux, on fait peu d'enfants, on prend sa retraite tôt, on n'épargne pas assez et on accumule des dettes personnelles. Les gouvernements sont eux aussi lourdement endettés, et leurs dépenses continuent à dépasser leurs revenus. Votre entreprise en sera touchée de mille et une manières.

Inévitablement, on aura des débats de société sur le poids des dépenses publiques en santé, qui compteront très bientôt pour la moitié du budget du Québec, sur l'âge de la retraite, sur les contributions aux régimes publics de pensions de vieillesse, etc.

Tout cela se traduira forcément par des hausses de taxes, de tarifs, d'impôts, ou par des compressions budgétaires, selon l'idéologie des gouvernants. Des domaines vitaux pour vous, comme les routes ou la recherche scientifique, qui nécessiteraient des investissements massifs, risquent d'être négligés faute de moyens.

Toutes les questions liées à la diversification de la main-d'œuvre continueront à prendre de l'importance.

Certains se souviennent peut-être encore d'une époque où la population universitaire était très majoritairement mâle et blanche. Voyez la progression spectaculaire du nombre de femmes dans nos universités.

Voyez combien la population étudiante est plus diversifiée que jadis sur le plan ethnoculturel. Cette évolution continuera à interpeller nos gouvernements.

Le pouvoir grandissant des femmes et le désir des hommes de s'investir davantage dans la vie familiale donneront de plus en plus d'importance à des questions comme l'équité salariale, les horaires permettant de mieux concilier vie familiale et vie professionnelle, les congés de maternité et de paternité, l'aménagement de garderies en milieu de travail, la possibilité de travailler davantage à la maison, le statut légal des travailleurs autonomes, et ainsi de suite. On continuera de demander aux gouvernements d'intervenir sur tous ces fronts.

Même chose pour tout ce qui concerne la cohabitation, dans les milieux de travail, de gens ayant des origines ethniques et des croyances religieuses différentes. On n'a pas fini d'entendre parler d'accommodements plus ou moins raisonnables, ni de se tourner vers les autorités publiques afin qu'elles fournissent des points de repère à la population.

Les questions liées à la sécurité resteront une préoccupation permanente.

L'attentat contre les tours jumelles du World Trade Center, le 11 septembre 2001, a changé certaines choses pour toujours. Certes, le terrorisme existe depuis la nuit des temps, mais on a pleinement réalisé, ce jour-là, qu'il avait désormais des capacités technologiques et organisationnelles redoutables. On a aussi découvert qu'il avait des ramifications insoupçonnées dans toute la planète.

Les gouvernements occidentaux ont donc entrepris de resserrer les mesures liées à la sécurité et au contrôle des identités : fouilles minutieuses aux frontières, nouvelles mesures de sécurité dans les aéroports, exigences pour l'émission des visas et des passeports, etc. Il y a quelques années, par exemple, le Département d'État américain a fait savoir à une entreprise de chez nous, Bell Helicopter, qu'il n'accepte-rait plus, jusqu'à avis contraire, que des employés originaires de cer-tains pays placés sous haute surveillance travaillent à des projets mili-taires pour lesquels il octroyait des contrats.

Tout cela entraîne souvent des délais et des tâches administratives supplémentaires pour les entreprises. On finira par s'ajuster, mais on ne reviendra pas en arrière.

La hausse de la conscience environnementale n'est pas qu'un effet de mode.

Oui, je sais, la plupart des gens sont des écologistes du dimanche. Ils font un effort... quand ce n'est pas trop forçant. Tout de même, les mentalités changent.

L'accroissement de la conscience environnementale se traduit par des pressions pour que l'État impose aux entreprises des contraintes plus strictes en ce qui concerne l'émission de substances polluantes, la pro-tection des habitats naturels et le respect de la capacité de ceux-ci à se régénérer. N'oublions jamais que les consommateurs, qui sont de plus en plus sensibles aux pratiques environnementales des entreprises, sont aussi des électeurs.

Je pourrais continuer longtemps. Retenez essentiellement ceci : n'écoutez pas ceux qui minimisent le rôle futur de l'État. Ils vous feraient baisser la garde, et vous risqueriez de le regretter amèrement. Ce rôle évolue, se transforme, mais il demeurera central.

Occupons-nous maintenant de votre cas.

Les choses telles qu'elles sont

10 vérités fondamentales sur les politiciens et les fonctionnaires

La première chose que vous devez faire est de mettre de côté la conception que vous avez probablement de nos gouvernements. J'ai dit « probablement ». Peut-être faites-vous partie d'une minorité, mais cela m'étonnerait. La grande majorité des gens d'affaires voient en effet nos gouvernements comme de grosses organisations mal gérées.

On pourrait en discuter longtemps. Certains services publics nous font rager tandis que d'autres fonctionnent admirablement. Un fonctionnaire obtus peut rendre compliqué un problème tout simple, alors qu'un autre trouvera une solution à laquelle vous n'auriez pas pensé.

Bref, on pourra toujours trouver des exemples pour asseoir un juge-ment global plutôt positif ou plutôt négatif. Chacun d'entre nous a ses anecdotes.

Ce qui compte, c'est que vous ayez toujours en tête qu'un gouverne-ment et une entreprise sont des créatures dont les vocations sont très différentes. Quel est le but fondamental d'une entreprise privée ? C'est de dégager un profit en vendant quelque chose qui répond à un besoin. Sans profit, c'est la mort à brève échéance.

Quel est le but fondamental d'un gouvernement ? Il n'y a pas de réponse unique à cette question. Protéger les droits et les libertés ? Redistribuer la richesse ? Faire régner l'ordre ? Chacun répondra selon ses valeurs.

Autrement dit, les gouvernements sont des organisations infiniment plus complexes que les entreprises privées. Ils poursuivent des buts nombreux, diversifiés, parfois contradictoires, et il n'y pas d'unanimi-té dans la société quant à ce que leurs objectifs devraient être.

Pour espérer tirer votre épingle du jeu devant les gouvernements, vous devez vous mettre en tête qu'ils sont différents des entreprises privées, qu'ils remplissent d'autres fonctions, qu'ils sont organisés selon d'autres règles. Je ne dis pas que les impératifs de saine gestion ne devraient pas s'appliquer à eux. Je dis que les gouvernements doivent être appréciés à la lumière d'une réalité qui n'est pas celle de l'entre-prise privée.

Caricaturons : dans une entreprise privée, il n'y a ni élection aux quatre ans pour la direction ni sécurité d'emploi pour les travailleurs. Les gouvernements, eux, ne peuvent congédier une partie de la popu-lation qu'ils jugeraient improductive.

Vous devez donc transformer la manière dont vous considérez les gouvernements. Si vous faites l'exercice de vous mettre à la place du fonctionnaire ou de l'élu qui est en face de vous, si vous comprenez bien le contexte qui est le sien, notamment le dispositif de sanctions (mauvaise évaluation par son supérieur, mise à l'écart des projets intéressants) et de récompenses (plus de responsabilités, plus de subordonnés, plus de budget) dans lequel il opère, vous réaliserez que, la plupart du temps, vous auriez pris la même décision que lui.

Si vous n'apprenez pas à regarder autrement cet acteur, si vous persistez à lui appliquer la grille d'analyse que vous utilisez en affaires, vous ne pourrez jamais prévoir comment il se conduira. Vous serez donc toujours pris par surprise… et vous courrez vers un échec assuré.

Bref, enfoncez-vous d'abord ce qui suit dans la tête.

Vérité 1 : ILS PENSENT D'ABORD À EUX.

Quand il est question de politique, le langage courant et celui des médias sont truffés d'expressions comme le «bien commun», la «volonté populaire», les «intérêts supérieurs», etc. Cela laisse entendre que les politiciens doivent s'élever au-dessus de leurs intérêts personnels et partisans, et que les fonctionnaires sont des serviteurs publics mettant en opération la volonté du peuple.

Prenez cela avec un grain de sel de gros calibre. La réalité est différente.

De plus, contrairement à ce que le discours courant donne aussi à penser, ce ne sont ni le «peuple», ni les «ministères», ni le «gouvernement», ni la «société» qui décident. Ce sont des individus qui le font. Il s'agit d'êtres en chair et en os, qui ont des passions et des sentiments. C'est la combinaison de centaines de milliers de décisions individuelles qui produit un résultat collectif souvent imprévu.

La vie politique est, fondamentalement, un univers à deux dimensions. L'une, qui est «noble», est la recherche de solutions à des problèmes collectifs. À des degrés divers, les acteurs gouvernementaux s'y consacrent bel et bien. L'autre dimension, moins noble, est que la politique est une lutte permanente pour conquérir ou garder le pouvoir.

Pris dans la dynamique de ce combat, les hommes politiques pensent d'abord à eux. Les fonctionnaires aussi, car il y a également des jeux de pouvoir à l'intérieur de l'appareil gouvernemental. Comprenez-moi bien : ils ne pensent pas qu'à eux, mais d'abord à eux.

Pour comprendre et prévoir les faits et gestes d'un gouvernement, vous devez donc tenir pour acquis que les politiciens et les fonctionnaires se soucient d'abord de leurs propres intérêts. Après tout, ce sont des êtres humains similaires à ceux qu'on trouve dans l'industrie de la construction, du tourisme ou de la lingerie féminine, non ? Pourquoi leur nature serait-elle différente parce qu'ils travaillent dans un autre secteur ?

Pour l'essentiel, il faut se représenter le système politique comme un jeu engageant trois grandes catégories d'acteurs : les électeurs, les fonctionnaires et les politiciens. Dans ce jeu, chacun joue d'abord pour lui.

Règle générale, les électeurs votent pour les politiciens qui, pensent-ils, amélioreront le plus leur sort. Les fonctionnaires se soucient aussi en premier lieu de leur situation personnelle : selon ce qu'ils sont, ils veulent faire avancer leur carrière ou se protéger au maximum. Les politiciens, eux, cherchent surtout à être élus ou réélus. Vous voulez des profits et eux veulent des votes. Est-ce si différent ?

Du point de vue des acteurs, les seules différences fondamentales entre la sphère privée et la sphère publique résident dans la nature des règles du jeu, et dans les récompenses et les punitions qu'elles impliquent.

Vérité 2 : ON GAGNE DES ÉLECTIONS EN PROMETTANT PLUS, PAS MOINS.

Connaissez-vous un politicien qui a construit une longue carrière en promettant d'offrir aux gens moins que ce qu'ils ont, ou simplement en s'engageant à gérer la boutique de manière efficace ? Même Ronald Reagan et Margaret Thatcher n'ont pu empêcher la croissance de l'État et des dépenses publiques, parce qu'on ne peut fondamentalement empêcher la population d'augmenter et de vieillir.

Les politiciens sont assiégés de façon permanente par une myriade de groupes – patrons, représentants des régions en difficulté, syndicats, aînés, étudiants, artistes, chercheurs – qui veulent qu'on s'occupe d'eux, qu'on « relance » leur secteur, qu'on préserve leurs « droits acquis », qu'on soit « juste avec eux », etc. S'il faut se serrer la ceinture, que le gouvernement fasse en premier le ménage dans sa propre cour, ou qu'il mette fin aux privilèges... de mon voisin.

Pour être élu, le politicien sera donc enclin à faire des gestes qui lui permettront d'être vu comme celui qui a amélioré concrètement la vie des électeurs, et il essaiera d'éviter les gestes qui feraient de lui un dispensateur de douleur. Quand ça va bien, il essaie d'en prendre le crédit. Quand ça va mal, il se trouve des circonstances atténuantes. Vous feriez la même chose.

De plus, les politiciens conçoivent habituellement leur action à l'intérieur d'un cycle de trois ou quatre ans. Quand on a des visées électorales, les mesures de redistribution de la richesse sont toujours plus rentables, à court terme, que les mesures de création de la richesse.

Les politiciens consacrent donc beaucoup de temps, d'énergie et de ressources à d'autres intérêts que ceux de votre entreprise.

Vérité 3 : LA FLATTERIE FONCTIONNE.

Dans la fonction publique, on parvient aux plus hauts échelons en donnant satisfaction aux patrons dont on vient de voir les motivations.

Un fonctionnaire de haut rang n'aidera pas sa carrière en conseillant à son ministre d'en faire moins. Les politiciens ne demandent pas mieux que de se faire proposer des idées et des projets qui leur permettront de briller. Il est donc très peu probable qu'un fonctionnaire accueille avec enthousiasme votre proposition s'il a le sentiment qu'elle déplaira à son patron politique.

Avec le temps, certains fonctionnaires deviennent aussi des experts dans un domaine particulier. De manière logique et naturelle, ils trouvent important que leur patron politique et la machine gouvernementale s'occupent de cet enjeu et le fassent passer avant ce qui vous préoccupe. Cela ne s'applique évidemment pas aux fonctionnaires subalternes.

Vérité 4 : VOTERIEZ-VOUS POUR QUELQU'UN QUI NE PEUT RIEN POUR VOUS ?

L'électeur est un rouage essentiel de cette mécanique. Qui aime se faire dire par un politicien ou par un fonctionnaire qu'il n'y a pas de solution à son problème ?

Même s'il prétend le contraire, l'électeur est presque toujours fortement tenté de voter pour le candidat lui donnant l'impression qu'il peut le plus pour lui. Il se demande en quoi sa situation sera améliorée ou affectée, même si, dans son for intérieur, il sait parfaitement que les ressources dont dispose le gouvernement ne permettent pas de satisfaire les désirs de tous. Chacun estime que son cas est plus important que celui de son voisin.

Conséquence : plus le total des faveurs dispensées aux électeurs est élevé, moins il reste de ressources publiques pour les entreprises.

Vérité 5 : « ALL POLITICS IS LOCAL. »

C'est ce que disait Tip O'Neill, élu de la région de Boston pendant des décennies.

Dans beaucoup de pays, et notamment chez nous, le politicien est élu dans une circonscription délimitée sur le plan géographique. Les électeurs de cet endroit tiennent son sort entre leurs mains. Chaque politicien est donc fortement incité à appuyer les mesures qui ont des retombées bénéfiques sur « ses » gens, même si elles peuvent être préjudiciables à l'ensemble de la collectivité.

Votre entreprise pourrait, par exemple, fournir ce que le gouvernement cherche mais, si votre concurrent (dont la soumission n'est pas nécessairement la meilleure ou la moins chère) est situé dans la « bonne » région, c'est lui qu'on choisira. La collectivité déboursera davantage, mais l'élu engrangera des bénéfices politiques.

Vérité 6 : LES PROPOSITIONS EXTRÉMISTES NE GAGNENT PRESQUE JAMAIS.

Au Canada et au Québec, le système politique est conçu pour permettre à deux partis principaux de s'échanger le pouvoir : celui qui est aux commandes et l'opposition officielle. Les épisodes de gouvernements minoritaires, qui donnent aux petits partis un pouvoir considérable, sont rares sur le long terme, malgré ce que nous vivons depuis quelques années.

Règle générale, les deux partis principaux lutteront pour contrôler le centre de la patinoire parce la grande majorité des électeurs est constituée de gens modérés. Habituellement, plus une idée est radicale, moins ses chances d'aboutir sont fortes. Songez-y quand vous formulerez vos demandes.

Vérité 7 : ON HUILE D'ABORD LA ROUE QUI GRINCE.

Beaucoup de gens d'affaires sont frustrés de voir le temps que nos gouvernements consacrent à des groupes d'activistes bruyants qui font la promotion d'une cause unique.

Pourquoi les gouvernements agissent-ils ainsi ? Parce que ces groupes peuvent embarrasser les politiciens dans les médias, financer leurs campagnes électorales (ou cesser de le faire), gruger un nombre considérable d'heures dans des journées déjà trop courtes.

Il y a plus. Ces activistes – certains écologistes, par exemple, ou des militants pro ou anti-avortement, certains groupes ultra-religieux, des lobbys des armes à feu – sont ce qu'on appelle en anglais des *one-issue voters*. Leur décision de voter ou non pour un politicien dépend entièrement de la position de ce dernier quant à la cause qui leur tient à cœur. S'il ne leur donne pas satisfaction, le politicien perd automatiquement leur vote.

À l'inverse, l'électeur qui base son vote sur une évaluation globale du travail d'un politicien pourra voter pour lui si sa déception dans le dossier X est compensée par sa satisfaction dans les dossiers Y et Z. Le politicien se sent donc moins forcé de l'accommoder sur un point précis.

Cela explique pourquoi les politiciens sont souvent attentifs aux doléances de groupes défendant des causes qui vous semblent bizarres. La vie démocratique est ainsi faite, et on n'a encore rien trouvé de mieux.

Vérité 8 : LES PETITS SONT SOUVENT PLUS EFFICACES QUE LES GROS.

Vous êtes petit et vous pensez que c'est synonyme de faiblesse. Le regroupement X a un gros membership, et vous croyez que cela le rend puissant. Détrompez-vous.

Quand un groupe est petit, il est plus facile à unir et à mobiliser de manière efficace. Proportionnellement, les enjeux en cause sont plus élevés pour chaque membre, ce qui renforce la motivation de chacun.

Quand un groupe est gros, l'unité est souvent axée sur le plus petit dénominateur commun, ce qui engendre généralement une position molle. La mobilisation est aussi plus compliquée : chaque membre est moins enclin à consacrer temps et énergie à la cause, car il compte davantage sur les efforts des autres. A se dit que B ou C s'en occupera, B et C se disent la même chose, et rien ne se fait.

Voyez par exemple avec quelle efficacité les producteurs de lait, qui sont très peu nombreux, obtiennent l'appui de nos gouvernements : on boit moins de lait que jadis, les coûts de production baissent, et pourtant le prix du lait augmente. Pourquoi ? Parce que, pour chaque producteur, l'enjeu se chiffre en dizaines de milliers de dollars, alors que, pour chaque consommateur, c'est l'affaire de quelques sous. Qui se battra avec le plus d'acharnement ?

Vérité 9 : LES DÉCIDEURS GOUVERNEMENTAUX SAVENT QUE VOUS ÊTES MAL INFORMÉ.

Pour un électeur, s'informer demande un investissement considérable de temps et d'énergie. Vu sous cet angle, le fait de ne pas se renseigner est une attitude parfaitement rationnelle. De toute façon, pourquoi le faire, puisque son vote a une chance infinitésimale de faire une différence ?

Politiciens et fonctionnaires savent que vous êtes mal informé, que vous ne savez pas bien comment le système fonctionne, et que leurs faits et gestes ne sont examinés attentivement que par les journalistes. Pourquoi changeraient-ils leur façon habituelle de faire?

Vérité 10 : LES IDÉES COMPTENT… UN PEU.

Les politiciens ont certes des convictions : gauche, droite, fédéraliste, souverainiste, etc.

Cependant, dans les systèmes à deux partis principaux, ces derniers sont généralement des coalitions assez souples regroupant des sensibilités diverses. Ils doivent donc ratisser large, ce qui les rend pragmatiques.

Les convictions, sans disparaître, tiennent aussi compte de la température politique, qui peut changer vite. La rigidité idéologique raccourcit radicalement les carrières politiques. Les petits partis, qui n'ont aucune chance de prendre le pouvoir, sont davantage constitués de membres «purs et durs». Bref, on peut tabler sur la souplesse des convictions des partis principaux.

Vous vous demandez peut-être ce que cela change concrètement pour votre entreprise[4]. Beaucoup de choses.

Des implications cruciales pour l'entreprise

Ce qui vient d'être dit vous touche bien plus concrètement que vous pourriez le penser.

La réalité des deux vitesses : tenez-en compte.

Vous obtenez un rendez-vous avec le maire ou le député. Il vous reçoit chaleureusement et trouve que votre demande est parfaitement raisonnable. Vous sortez très satisfait de la rencontre, convaincu d'avoir marqué des points.

Les jours et les semaines passent, et rien ne débloque. En fait, l'élu a remis votre dossier aux fonctionnaires, comme il doit le faire, pour examen et suivi.

Il se trouve que la fonction publique marche au rythme d'un autre tambour que celui du politicien. Ce dernier, pour les raisons vues plus haut, veut plaire à l'électeur et enregistrer des résultats rapides et visibles. Son horizon, c'est la prochaine échéance électorale. La fonction publique, elle, était là avant lui et sera là après lui. Tenez-en compte.

Vous n'êtes pas nécessairement une priorité.

Votre proposition vous semble sensée. Toutefois, le gouvernement jongle avec plus de balles que vous. Il poursuit des buts plus nombreux, parfois contradictoires, et doit satisfaire des clientèles très diverses.

Il veut certes encourager les gens qui, comme vous, font rouler l'économie. Cependant, il doit aussi soutenir ceux qui, objectivement, ne contribuent pas à la croissance économique... mais qui votent. Combien de fois ai-je entendu des gens d'affaires déplorer, en s'appuyant sur une logique très réductrice, le fait que des centaines de millions soient consacrés à des assistés sociaux pourtant considérés comme aptes au travail? Ah, si c'était si simple!

Autre exemple: le gouvernement désire soutenir la croissance économique, mais il doit aussi tenir compte de groupes de citoyens qui trouvent que votre projet pollue ou gâche le paysage. Ces derniers votent, eux aussi.

Dans les deux cas, le gouvernement consacre à des gens des ressources et un temps qui, forcément, ne vous seront pas offerts.

Il faut savoir reconnaître quand ils font semblant.

Les gouvernements se lancent parfois dans des projets qui ne sont pas viables économiquement et dont l'échec commercial est écrit dans le ciel. Pensons à la relance de l'usine Gaspésia, à Chandler, au tournant des années 2000.

Plusieurs des problèmes que doivent affronter nos gouvernements sont en effet insolubles, ou ne peuvent être réglés que de façon partielle ou temporaire. Cependant, un ministre ne peut dire brutalement que la Gaspésie connaîtra toujours des difficultés, que certaines clientèles de l'aide sociale sont irrécupérables ou que les premiers responsables du décrochage scolaire des enfants sont leurs propres parents.

Même les journalistes qui seraient, dans leur for intérieur, d'accord avec ces affirmations transformeraient l'affaire en tollé. Nous prétendons vouloir que nos élus nous disent la vérité. Malheureusement, dans les faits, la franchise n'est habituellement pas rentable. Nous ne la récompensons pas en votant pour elle. Nous n'aimons la vérité que lorsqu'elle est plaisante.

Devant un problème insoluble, le gouvernement dira donc qu'il va créer un comité pour étudier la question, qu'il fait des progrès, et il cherchera bien sûr à réduire les attentes des gens. Une chose est certaine, il ne peut pas avouer qu'il est impuissant et qu'il ne fera rien. Il lui faut montrer qu'il s'active, qu'il tente quelque chose. Jusqu'à un certain point, il doit faire semblant. C'est toute la différence entre « gérer » un problème et le solutionner.

Ici encore, des ressources considérables sont consacrées à des initiatives qui vous apparaissent parfaitement irrationnelles d'un point de vue économique, mais qui sont raisonnables sur le plan politique. Pour un élu, il est sensé de faire semblant, car l'objectif qu'il poursuit est de gagner des votes ou de ne pas en perdre.

Vous devez donc apprendre à « lire » le gouvernement : dans telle ou telle circonstance, jusqu'à quel point croit-il vraiment à ce qu'il dit ou fait ? S'il n'y croit qu'à moitié et vous propose d'être son partenaire, sauvez-vous.

Le calendrier des politiciens et des fonctionnaires n'est pas le vôtre.

Vous êtes pressé.

Le fonctionnaire, lui, ne l'est pas, à moins qu'on lui ait dit de faire diligence. L'élu l'est davantage. On a vu pourquoi. Au lendemain d'une élection triomphale, il sait cependant qu'il a quatre ans devant lui. S'il est en fin de mandat et si les pronostics des sondages sont mauvais pour lui, il sera plus vulnérable aux pressions.

La vie politique et l'appareil gouvernemental vivent aussi au rythme de saisons qui leur sont propres : sessions parlementaires du printemps et de l'automne, cycle de consultations prébudgétaires, campagnes annuelles de financement des partis politiques, etc. Suivant qui est votre interlocuteur, vous devez arriver au bon moment pour vous, mais surtout pour lui.

Les décisions collégiales prennent du temps.

Dans votre entreprise, quelques personnes prennent les décisions cruciales. Dans un gouvernement, c'est la même chose : le premier ministre et une poignée de gens jouent un rôle prépondérant.

La mise sur pied d'un programme gouvernemental, voire la simple gestion quotidienne de l'appareil d'État, exige cependant que se coordonnent plusieurs ministères, ou divers services à l'intérieur d'un même ministère. C'est forcément lourd et lent. Tenez-en compte. Cette coordination entraîne aussi des négociations et des compromis, qui diluent souvent le projet initial. C'est d'ailleurs pour cela que les gens d'affaires, habitués à décider seuls et vite, font généralement de piètres politiciens.

Les médias sont une véritable obsession.

Les politiciens vivent en permanence sous la loupe grossissante des médias ; les fonctionnaires aussi, quoique dans une moindre mesure. Ils en deviennent obsédés.

Rappelez-vous : pour être élu ou réélu, un politicien doit faire connaître ses bons coups. Il se sert donc des médias. Son adversaire y fait aussi appel pour monter en épingle toutes les failles de celui qu'il veut déloger. Et chacun d'entre nous se forge une opinion à partir des informations recueillies, pour l'essentiel, dans les médias.

Morale de cette histoire : n'utilisez pas les médias pour embarrasser un politicien ou un fonctionnaire. Vous en sortirez rarement gagnant à long terme. On se souviendra de vous. J'y reviendrai.

La fonction publique n'aime pas les risques.

Théoriquement, les fonctionnaires doivent conseiller l'élu, l'épauler efficacement et lui éviter des embarras… à moins, évidemment, qu'ils aient délibérément choisi de lui nuire pour s'en débarrasser. Les fonctionnaires savent aussi que, s'ils consentent un traitement d'exception à quelqu'un, ils risquent de créer un précédent que d'autres pourraient ensuite invoquer.

Il en résulte que la prudence et l'aversion du risque prédominent chez eux. Voilà pourquoi on trouve rarement, dans la fonction publique, des gens animés par la foi entrepreneuriale qui déplace les montagnes. Cela ne veut pas dire qu'on n'y travaille pas très fort, ni très bien. On y trouve de tout, comme partout. Mais si vous arrivez avec une proposition audacieuse, elle sera spontanément reçue avec méfiance.

Tenez compte des valeurs dominantes de la société.

Walmart a fermé des dizaines de magasins aux États-Unis sans que cela cause beaucoup de remous. La population américaine ne lui demande guère de montrer sa sensibilité sociale. En revanche, rappelez-vous le tollé provoqué par la fermeture du magasin Walmart de Jonquière, pour cause alléguée de non-rentabilité, lorsque les employés ont réussi à se syndiquer et ont entrepris de négocier une première convention collective.

Au Canada et au Québec, on invoque beaucoup plus qu'aux États-Unis la solidarité, l'équité, la compassion, etc. L'efficacité n'est pas un créneau particulièrement rentable sur le plan électoral. Parfois, ces belles valeurs correspondent à une sensibilité populaire qui se manifeste réellement. D'autres fois, elles ne sont que des slogans creux, scandés par des groupes qui veulent faire passer leurs intérêts pour ceux de tous. Vous devrez apprendre à faire la part des choses.

Il est clair en tout cas que certains comportements d'entreprises jugés normaux chez nos voisins américains le sont beaucoup moins chez nous. Nos politiciens sont très sensibles à l'humeur des électeurs, et vous devez l'être aussi.

Les différents types de décisions gouvernementales

L'appareil étatique prend évidemment toutes sortes de décisions qui peuvent vous affecter. Voici les plus communes.

- Le gouvernement peut faire adopter par le parlement une loi changeant les règles du jeu dans votre secteur. Généralement, celle-ci vient modifier une ou des lois antérieures.

- L'appareil gouvernemental produit ensuite les normes et les règlements d'interprétation de cette loi, qui ne sont habituellement pas contenus dans le texte soumis au parlement. Pensez, par exemple, à l'interprétation des lois fiscales, où le sens même d'un mot peut devenir crucial.

- Les organismes gouvernementaux (fédéraux, provinciaux, municipaux : CRTC, RAMQ, CSST, etc.) prennent toutes sortes de décisions quant à votre admissibilité à un programme, quant à l'octroi d'un permis, à la portée de celui-ci, aux dates d'entrée en vigueur, etc.

- Les ministères et les organismes prennent aussi de multiples décisions discrétionnaires dans leurs rapports quotidiens avec vous : procédure à suivre dans un cas particulier, octroi d'un délai, négociation des modalités de remboursement d'un paiement en retard, etc.

- Un ministère ou un ministre peut annoncer publiquement une prise de position, une intention, une priorité, un changement de cap qui, sans nécessairement se traduire par de nouvelles lois, seront désormais pris en compte par l'appareil gouvernemental dans ses rapports avec vous.

- Les agences centrales du gouvernement – Secrétariat du Conseil exécutif à Québec, Conseil privé à Ottawa, Conseil du trésor aux deux paliers, etc. – peuvent émettre des directives administratives internes à l'endroit de l'ensemble des ministères et des organismes, directives qui influenceront le comportement de ces derniers envers vous.

- Les grandes décisions budgétaires du gouvernement – où et combien dépenser –, contenues dans les documents déposés au parlement au moment du discours du budget, peuvent évidemment avoir des impacts majeurs sur votre secteur d'activités.

- Enfin, même si les tribunaux sont théoriquement indépendants du pouvoir politique, ils prennent des décisions qui peuvent vous affecter. Tout comme vous, les gouvernements peuvent s'adresser à eux dans l'espoir qu'ils tranchent dans le sens espéré.

Comme on le voit, certaines de ces décisions sont de nature opérationnelle, et d'autres, de nature stratégique.

Les décisions opérationnelles portent sur des points techniques, limités, touchant des aspects précis de vos opérations. Ces décisions, qui sont prises aux échelons inférieurs des ministères ou des organismes publics, n'attirent pas l'attention des médias à moins de dérapages spectaculaires. Généralement, vous êtes en mode réactif plutôt que proactif à leur endroit.

Quant aux décisions de nature stratégique, qui sont moins nombreuses, elles portent sur les orientations globales du gouvernement. Elles peuvent affecter toute votre entreprise et tout votre secteur. Elles sont prises aux échelons les plus élevés de l'appareil étatique, suscitent des débats publics, sont sans doute discutées au parlement et scrutées en détail par les médias. Il est plus facile pour vous de les voir venir (si vous faites ce qu'il faut), et donc, d'être proactif, c'est-à-dire d'essayer d'influencer leur contenu au moment de leur conception. On peut ainsi penser aux plans de relance d'un secteur, aux politiques fiscales, à des projets de loi.

Si l'enjeu est stratégique et si le débat est public, vous ne serez pas seul dans l'arène. D'autres groupes demanderont le contraire de ce que vous voulez, et le gouvernement devra aussi tenir compte d'eux. Vous risquez fort d'avoir affaire à des journalistes. L'opinion publique sera déterminante, et les élus n'aiment pas ramer en sens inverse de celle-ci. Par contre, il vous sera plus facile de circonscrire les acteurs clés qu'il vous faudra tenter d'influencer.

Si l'enjeu est purement opérationnel, votre maîtrise technique de la question sera aussi importante que vos contacts, et peut-être davantage. Vos interventions seront plus discrètes et moins risquées.

Toute règle a ses exceptions, mais les gens d'affaires ont tendance à croire que beaucoup de décisions se prennent à un échelon plus élevé que celui où elles sont effectivement prises. Ils déploient donc souvent une énergie considérable pour rencontrer un sous-ministre, voire un ministre, alors que le dossier se traite à un échelon bien inférieur. D'où l'utilité d'être épaulé par un ou des collaborateurs qui ont une bonne connaissance de l'appareil.

Un réseau à interconnexions multiples

Dans les sociétés démocratiques avancées, les gens ont été habitués à séparer le pouvoir étatique en trois grandes sphères : le législatif (les parlements), l'exécutif (les ministères et les organismes) et le judiciaire (les tribunaux). Il ne faut pas commettre l'erreur de sous-estimer les multiples interconnexions qui existent entre elles.

Les parlements votent des lois généralement proposées par le gouvernement. Les tribunaux interprètent ces lois et veillent à leur respect. De multiples organismes gouvernementaux les appliquent, édictent des règlements et prennent d'innombrables décisions administratives.

Cela dit, il est toujours possible de remplacer une loi par une autre. Les tribunaux statuent souvent sur la constitutionnalité des lois et peuvent forcer leur révision. Votre entreprise peut s'adresser à eux, faire des pressions auprès des législateurs, contester les décisions des organismes devant des tribunaux administratifs, et ainsi de suite.

Il s'agit d'un réseau à interconnexions multiples, qu'on peut illustrer par la figure proposée à la page suivante. Prenez un instant pour l'examiner.

Figure 1

UN RÉSEAU À INTERCONNEXIONS MULTIPLES

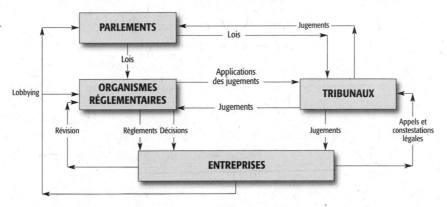

Source : M. Watkins, M. Edward et U. Thakrar, *Winning the Influence Game. What Every Business Leader Should Know about Government*. New York, John Wiley & Sons Inc., 2001, p.114

Ces multiples interconnexions ont des implications très concrètes pour vous.

• Ce réseau fonctionne sans arrêt. La partie n'est donc jamais terminée. La victoire est rarement définitive, et la défaite n'est pas nécessairement finale. Une loi pourra éventuellement être modifiée, ou un programme gouvernemental aboli, bonifié, réduit, etc. Les élus et les fonctionnaires changent, tout comme leurs opinions. L'adversaire d'aujourd'hui peut devenir l'allié de demain, et vice versa. Rien n'est gravé dans la pierre. Tout est beaucoup plus fluide que vous ne le pensez.

• L'adoption d'une loi est habituellement un long processus. La majeure partie du travail est faite au moment où le projet est soumis aux législateurs, mais le texte peut ensuite être modifié ou même abandonné au cours du processus parlementaire. Engagez-vous le plus tôt possible dans la démarche. La lecture d'un bulletin électronique comme *Le Courrier parlementaire*, par exemple, est une précieuse source de renseignements sur l'avancement des travaux relatifs aux divers projets de loi à Québec.

- Plusieurs des décisions vous touchant sont prises par des organismes administratifs dont vous pouvez influencer ou contester les choix. Cela risque cependant d'être difficile, car vous serez en présence de gens qui n'ont pas à se faire élire et qui pourront toujours dire qu'ils ne font qu'appliquer les directives reçues.

- Vous avez parfaitement le droit de vous adresser aux tribunaux pour essayer de renverser une décision gouvernementale. Évidemment, si vous affrontez le gouvernement en cour, vous vous frottez à un adversaire dont les ressources en temps, en argent et en expertise légale sont immenses. De plus, il considérera que vous lui déclarez la guerre. C'est un gros « pensez-y bien ».

- Chacun de ces processus – législatif, judiciaire, administratif – comporte une série de points névralgiques où votre influence peut se faire le plus directement sentir. On désosse un poulet en appliquant des pressions sur les bonnes articulations[5]. Il faut donc savoir où elles se trouvent, et cela variera selon le type de décision en cause.

3

Dans le ventre de la bête

Ce qui a été dit jusqu'ici vaut pour toutes les sociétés similaires à la nôtre. Voyons maintenant plus concrètement les caractéristiques des appareils gouvernementaux du Canada et du Québec qui vous concernent directement.

Je ne ferai pas ici un long exposé sur l'organisation du pouvoir politique, administratif et judiciaire chez nous. Vous trouverez ces renseignements dans plusieurs bons manuels de science politique et de droit[6].

Il est également inutile de présenter une longue liste de ministères et d'organismes. Elle serait instantanément dépassée. Nos gouvernements passent leur temps à créer, à abolir, à fusionner, à modifier des structures, des rôles, des fonctions, des missions, etc.

Le partage des pouvoirs au Canada et au Québec

Vous devez d'abord savoir si votre interlocuteur sera, selon l'enjeu en cause, le gouvernement du Canada, celui du Québec, votre administration municipale, deux d'entre eux, ou les trois.

Permettez-moi un petit rappel historique. Quand le Canada moderne a été formé en 1867, les élites anglophones voulaient instaurer un régime politique unitaire et très centralisé pour deux raisons : se protéger des visées expansionnistes des États-Unis et faciliter le commerce sur l'axe est-ouest. Si un système fédéral a finalement été adopté, ce fut pour obtenir le consentement des élites francophones du Québec, qui craignaient que leur différence culturelle soit noyée dans un régime unitaire, et des provinces maritimes, qui se méfiaient du poids de l'Ontario.

Dans les faits cependant, le point de vue unitaire a largement prévalu. La Constitution canadienne de 1867, revue en 1982, confie au gouvernement fédéral toutes les responsabilités qui ne sont pas exclusivement et spécifiquement assignées aux provinces. C'est le contraire dans des régimes fédéraux comme ceux de l'Australie, de l'Allemagne ou des États-Unis. Or, en 1867, on n'avait pas prévu le spectaculaire développement des champs d'implication des gouvernements modernes.

L'article 91 de la Constitution donne à Ottawa le pouvoir extraordinairement large de faire des lois pour assurer « la paix, l'ordre et le bon gouvernement ». Cet article octroie aussi au gouvernement fédéral la responsabilité de la réglementation commerciale, de la monnaie, de l'incorporation des compagnies de grande taille, de la juridiction sur les cours d'eau les plus importants, des ressources naturelles offshore, etc. Aucune limite précise n'est fixée à son pouvoir de taxer ou de dépenser, ce qui explique une bonne part de ses affrontements avec les gouvernements provinciaux.

Le gouvernement fédéral peut aussi désavouer toute loi provinciale qui lui déplaît, y compris dans les champs de juridiction provinciaux. Invoqué 112 fois depuis 1867, ce pouvoir de désaveu n'a pas été utilisé depuis 1943, mais il a été maintenu dans la Constitution de 1982[7]. Ottawa nomme aussi les juges de la Cour suprême, qui sont l'autorité finale sur toute question juridique.

L'article 92 définit les principaux pouvoirs économiques des gouvernements provinciaux : lever des impôts, engager des travaux publics sur leurs territoires, incorporer les compagnies locales, statuer sur les droits civils et les droits de propriété relatifs aux ressources naturelles de leur sol ou de leur sous-sol. Ils sont aussi responsables des compétences jugées « locales » : santé, services sociaux, éducation et affaires municipales. Toutefois, dans ces domaines, le gouvernement fédéral fait aussi largement sentir sa présence, pour les raisons vues précédemment.

Les administrations municipales n'ont aucun pouvoir propre reconnu constitutionnellement. Elles sont, pour reprendre une expression consacrée, des « créatures » des gouvernements provinciaux, qui peuvent à leur guise leur donner ou leur enlever des responsabilités. Par contre, comme le gros du développement économique se fait maintenant dans les pôles urbains, elles seront sans doute appelées à prendre une importance stratégique accrue.

Pour de petites comme pour de grandes choses, vous aurez fréquemment affaire à l'un ou à l'autre des trois ordres de gouvernement. Cependant, en ce qui concerne les grandes orientations économiques affectant toute une industrie, voire toute la société, il n'y a aucun doute possible quant au gouvernement qui est le plus important : c'est le fédéral.

Qui décide vraiment dans la machine?

C'est ce que voulez surtout savoir, non?

Les systèmes politiques canadien et québécois sont très similaires, parce qu'ils sont tous deux d'origine britannique. Comme vous êtes un citoyen qui feuillette les journaux et qui regarde la télévision, je tiens pour acquis que vous connaissez les grandes règles de leur fonctionnement.

Voici **9 vérités** fondamentales sur le pouvoir politique tel qu'il s'exerce au Canada et au Québec. Vous verrez qu'elles ne sont pas toujours évidentes à première vue:

1. Les parlements deviennent (malheureusement) de moins en moins importants.

On dit de notre système qu'il est une démocratie parlementaire, en ce sens que le pouvoir exécutif peut gouverner tant et aussi longtemps qu'il conserve la confiance d'une majorité des élus du peuple au parlement, devant lesquels il est ultimement responsable et auxquels il doit rendre des comptes. C'est formellement vrai, mais largement fictif.

Dans les faits, tant à Ottawa qu'à Québec, le vrai pouvoir s'éloigne inexorablement des parlements pour se concentrer entre les mains d'une poignée de ministres, des conseillers de ceux-ci et de très hauts fonctionnaires. Cette évolution est probablement irréversible. Il n'y a chez nous pratiquement aucun des contrepoids au pouvoir exécutif qu'on trouve, par exemple, au Congrès des États-Unis.

2. Le premier ministre est tout-puissant… ou presque.

Au Canada et au Québec, les premiers ministres fédéral et provincial nomment les ministres et leurs adjoints parlementaires, les hauts fonctionnaires, les juges, les principaux diplomates et les dirigeants des organismes publics les plus importants. Ils décident de la date des élections et des moments où les parlements commenceront et finiront de siéger. Au Conseil des ministres, ils peuvent choisir d'imposer leur volonté, même si leur point de vue est minoritaire. Ils ont donc entre leurs mains beaucoup plus de pouvoirs que le président des États-Unis pour influencer leur société.

3. Le moteur est sous le capot, pas dans le coffre.

Le Conseil des ministres a un monopole sur la présentation des projets de loi qui ont de bonnes chances d'être adoptés. Un projet proposé par un député seul n'est adopté que s'il porte sur un enjeu extrêmement local, dépourvu de portée régionale ou nationale.

4. Un homme seul ne peut pas grand-chose.

Comme le gouvernement doit s'assurer qu'il possède une majorité des voix au parlement, les députés du parti au pouvoir sont obligés de voter en sa faveur, indépendamment de leur opinion véritable, sous peine de sanctions. Un député qui n'est pas ministre peut donc avoir de l'influence sur un enjeu purement local, vous aider à obtenir un rendez-vous, rappeler au ministre ou au sous-ministre que vous existez, mais guère plus. Habituellement, il fait cependant de son mieux pour vous aider.

5. Cependant, quand un grand nombre d'élus s'y met...

Essentiellement, le parlement peut, si un nombre suffisant de députés est impliqué, forcer un gouvernement à se pencher sur une question, retarder (mais pas accélérer) l'adoption d'une loi, modifier certains aspects de cette dernière ou mettre en lumière des failles sur le plan de la gestion qui obligeront le pouvoir exécutif à y remédier. Ce sont, on le voit, des pouvoirs de réaction et non d'initiative.

6. Les ministres font-ils vraiment du *rubber-stamping* ?

Plus souvent qu'autrement, la « décision » d'un ministre consiste à approuver la recommandation que lui soumettent les hauts fonctionnaires… ou à la bloquer. Il est en effet débordé, et il n'a généralement pas une connaissance pointue du dossier à l'étude. Habituellement, la recommandation qu'on lui sert a aussi été élaborée de longue date et a engagé nombre de gens.

Comme son pouvoir de blocage est donc essentiellement un pouvoir négatif, qui peut sérieusement perturber le fonctionnement de l'appareil en dessous-de lui, il l'exercera rarement. Toute règle a évidemment ses exceptions.

7. Les collaborateurs du boss : traités aux petits oignons…

Les plus proches collaborateurs d'un ministre sont le directeur de son cabinet, un ou deux conseillers et un attaché de presse qui le suit pratiquement partout. Ce ne sont pas des fonctionnaires, mais du personnel politique généralement recruté parmi les militants du parti.

Ces gens sont souvent d'une jeunesse et d'une inexpérience qui étonnent ceux qui les rencontrent pour la première fois. Peu de personnes d'âge plus avancé sont en effet disposées à accepter les horaires délirants, les déplacements incessants et les salaires relativement modestes que cette vie impose. Cependant, ne commettez pas l'erreur de les négliger ou de les traiter avec condescendance : ils ont l'oreille du patron… et ils lui parleront quand vous serez parti.

8. Les décisions sont souvent le fruit de compromis : acceptez-le.

Les décisions gouvernementales vraiment importantes sont le produit de luttes de pouvoir, de négociations, de compromis entre groupes à l'intérieur et à l'extérieur de l'appareil.

À l'externe, on trouve les groupes de pression, les journalistes, l'opinion publique, etc. À l'interne, des batailles visant à influencer le contenu de la décision se livrent au sein des comités de travail de chaque ministère, dans les comités réunissant des hauts fonctionnaires des divers ministères impliqués, et dans les comités plus restreints de ministres qui statuent sur les projets avant qu'ils ne parviennent au Conseil des ministres.

Toutes ces tractations font en sorte que les décisions finales ont fréquemment un aspect mi-chair, mi-poisson, qui vise à satisfaire le plus d'acteurs possible ou à minimiser le prix à payer. Les gens d'affaires, habitués à trancher de façon claire et nette, trouvent souvent cela insatisfaisant. Apprenez à composer avec cette réalité[8].

9. L'information, c'est le pouvoir.

Les plus hauts fonctionnaires – les sous-ministres adjoints, les sous-ministres associés et les sous-ministres en titre – sont habituellement des gens très compétents (sinon, ils ne seraient pas parvenus là). Toutefois, ils sont assez fréquemment mutés d'un ministère à un autre, souvent dans la foulée d'un « remaniement » des ministres, qui sont leurs patrons politiques. Ils ont aussi généralement passé l'essentiel de leur vie professionnelle dans la fonction publique.

Il arrive donc qu'ils n'aient pas une connaissance fine ou une expérience personnelle de ce qui vous préoccupe, ce qui les rend dépendants de l'information que leurs subordonnés leur communiquent.

Premier exemple : la fabrication d'une loi

J'ai déjà dit que la très grande majorité des décisions gouvernementales sont essentiellement administratives et prises à des échelons beaucoup moins élevés qu'on ne le pense.

Plus une décision est complexe et engageante, plus elle tend à se prendre au sommet. Elle est âprement négociée, traverse de multiples étapes et implique de nombreux acteurs. Le processus décisionnel est à la fois fluide et formel, ce qui peut sembler paradoxal.

Il est fluide parce que très étroitement conditionné par l'évolution de l'opinion publique, la conjoncture économique, le calendrier électoral, les désirs du premier ministre, les crises qui viennent bousculer les priorités, les changements de personnel qui occasionnent des délais, etc. En fait, tout peut basculer en un clin d'œil.

Le processus décisionnel a aussi une dimension très formelle, car il suit une série d'étapes qui sont connues d'avance et qui comportent chacune des moments, des instances et des acteurs névralgiques. Quand on connaît cela aussi bien qu'un pianiste connaît son clavier, on sait quand, où et comment intervenir.

En règle générale, vous avez tout intérêt à vous engager dans le processus d'élaboration de la décision le plus tôt possible pour **3 raisons** :

1. Toute décision gouvernementale fait des gagnants et des perdants. L'appareil veut donc, dès le départ, répertorier qui est pour, qui est contre, jusqu'à quel point et pourquoi. On fait cela afin d'estimer, d'un point de vue politique, le prix à payer ou les points à marquer. Une fois les grands arbitrages accomplis et le train lancé, il devient très difficile d'accommoder un individu qui se manifeste en bout de course.

2. Les fonctionnaires et les politiciens ont besoin de renseignements fiables pour procéder. Rappelez-vous : ils n'ont pas toujours une connaissance personnelle et fine du domaine d'intérêt. Si vous êtes une source d'information objective et honnête sur la situation qui prévaut dans votre secteur et sur les

attentes de celui-ci, vous aurez votre place à la table de discussion dès le début. Pour améliorer vos chances, maintenez un contact régulier et soutenu, plutôt qu'épisodique, avec l'appareil gouvernemental (nous verrons comment au chapitre 7). Croyez-moi, c'est mille fois plus efficace que de hurler quand il est minuit moins une.

3. Une fois que le palier politique a fait connaître ses intentions, il ne reviendra pas sur sa décision. Ce serait trop coûteux pour lui : on l'accuserait d'être incohérent, d'avoir improvisé, d'être une girouette, etc. Dans un tel cas, le mieux que vous puissiez obtenir est habituellement un délai ou une modification. N'espérez pas un changement de cap radical.

À titre d'exemple, regardons comment chemine un projet de loi. J'exclus bien sûr ici ceux qui sont de nature exclusivement technique, qui ne font pas l'objet de débats publics et qui ne sont suivis que par les experts, comme certains amendements à nos lois fiscales.

William Stanbury propose très raisonnablement de découper ce processus en **3 grandes phases** : préparlementaire, parlementaire et post-parlementaire. Chacune d'entre elles comporte à son tour un certain nombre d'étapes plus ou moins automatiques. À quelques nuances près, cela vaut autant pour Ottawa que pour Québec[9].

Grosso modo, la phase **préparlementaire** comprend, dit-il, les étapes suivantes :

› l'établissement de la nécessité d'agir, voire de profiter d'une occasion purement politique de marquer des points ;

› les premières esquisses du contenu de l'action (avec *input* ou non d'acteurs externes) ;

- la rédaction d'un premier document destiné à la circulation interne, et la « mise dans le coup » du cabinet du premier ministre ;

- la consultation restreinte et officieuse auprès de quelques acteurs du milieu ; parfois aussi, les fuites volontaires dans les médias pour « sentir le vent » ;

- l'élargissement de la circulation de documents plus détaillés dans les divers ministères concernés ;

- les consultations et les vérifications plus approfondies auprès de groupes-clés du secteur ;

- la préparation, pour le Conseil des ministres, d'un document expliquant en détail les buts et le contenu du projet ; ce document est signé et parrainé par le ou les ministres responsables.

Idéalement, vous êtes déjà impliqué durant cette phase.

La seconde grande phase, qui porte le nom de **parlementaire**, engage d'abord les ministres et la haute fonction publique. En bref, elle comprend les étapes suivantes :

- l'étude et la discussion du projet détaillé par un comité restreint de ministres, assistés de leurs conseillers et des fonctionnaires les plus importants ; des modifications peuvent être apportées au document ;

- l'étude du projet et les recommandations, favorables ou non, du ministère des Finances et du Conseil du trésor à la lumière de son impact appréhendé sur la situation financière du gouvernement ;

- l'approbation ou non, par le Conseil des ministres, de la recommandation du comité ministériel ; il est relativement rare que celle-ci soit totalement rejetée, car plusieurs individus siègent aux deux instances ;

- En cas d'approbation, une directive est donnée au ministère de la Justice de rédiger le texte précis du projet de loi, qui doit ensuite être approuvé par le ministre responsable ;

- la prise en considération du texte législatif par le Comité de législation, qui est un groupe de ministres et de hauts fonctionnaires se penchant une dernière fois sur les détails du libellé ;

- l'approbation finale par le Conseil des ministres... et le premier ministre.

On entre ensuite dans la partie plus proprement législative de cette deuxième phase :

- le ministre présente et dépose son projet de loi au parlement ; il n'y a pas de débat ;

- le projet de loi peut (mais ce n'est pas obligatoire) faire l'objet d'audiences publiques plus ou moins larges, organisées par la commission parlementaire concernée, pour permettre aux intéressés de s'exprimer ; pour en savoir plus sur le fonctionnement des commissions parlementaires, leurs menus législatifs respectifs et le degré d'avancement des travaux, vous pouvez consulter les sites Web de la Chambre des communes à Ottawa et de l'Assemblée nationale à Québec ;

- le débat au parlement et le vote sur le principe du projet de loi ; il faut évidemment que le vote soit majoritaire pour que le cheminement se poursuive ;

- le renvoi en commission parlementaire pour étude détaillée (article par article) ; des amendements peuvent être apportés à cette étape ;

- le retour du projet de loi (amendé ou pas) devant l'ensemble des parlementaires pour un nouveau débat et un nouveau vote ;

- comme le parlement canadien comporte un Sénat qui doit également adopter le projet, plusieurs de ces mêmes étapes se déroulent aussi au sein de ce dernier (souvent simultanément) : audiences, amendements, débats, votes, etc. ;

- si le projet de loi est adopté par une majorité de parlementaires, il est ensuite envoyé au lieutenant-gouverneur à Québec ou au gouverneur général à Ottawa pour recevoir la sanction « royale » ; une loi est née.

La figure 2 ci-dessous illustre de façon simplifiée le processus législatif à Ottawa.

Figure 2

LE PROCESSUS LÉGISLATIF À OTTAWA

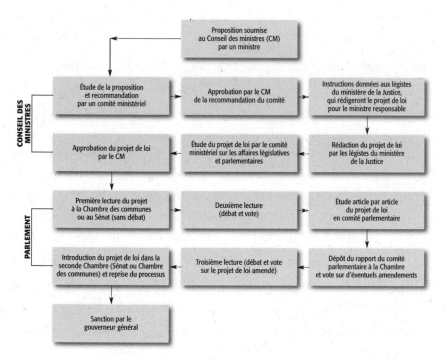

Source : Stanbury, W. *Business-Government Relations in Canada : Influencing Public Policy*, Second Edition, Nelson Canada, 1993, p.11.

Quant à la phase post-parlementaire, elle implique, pour l'essentiel, la rédaction par le ministère responsable des règlements précisant diverses modalités : normes d'admissibilité, dates d'entrée en vigueur, etc. Le diable se manifeste souvent dans ces détails, alors que l'attention générale est retombée.

Plusieurs de ces étapes constituent des occasions à saisir pour faire valoir vos intérêts. J'insiste : il faut vous mettre à l'ouvrage le plus tôt possible. Vous ne pouvez demander à un train qui entre en gare après un voyage long et difficile de rebrousser chemin.

Deuxième exemple : la fabrication du budget

Il n'y a pas plus solide indication des vraies priorités d'un gouvernement que ce qu'il fait avec l'argent que nous lui confions. La fabrication de son budget annuel est donc un processus décisionnel majeur – peut-être le plus déterminant de tous pour les entreprises – dont il faut comprendre la dynamique.

L'expression consacrée « discours du budget » est très trompeuse. Pour vous et moi, faire un budget, c'est jongler avec des prévisions de revenus et de dépenses afin d'établir un point d'équilibre entre les deux.

Dans l'appareil gouvernemental, tant à Ottawa qu'à Québec, il s'agit de deux processus distincts, menés par deux appareils administratifs différents, bien qu'ils travaillent étroitement ensemble, parfois de façon assez tendue. Le ministère des Finances établit les cibles de revenus qu'il espère aller chercher en impôts et en taxes. Le Conseil du trésor, lui, prévoit les dépenses, répartit l'argent disponible entre les ministères et veille au respect des enveloppes.

Quelques heures ou quelques jours après la présentation par le ministre des Finances d'un discours du budget très médiatisé, comportant souvent beaucoup de fumée et d'effets de toge, le président du Conseil du trésor dépose au parlement, avec une discrétion relative, des documents contenant les dépenses gouvernementales détaillées, ventilées par programme. Règle générale, cette seconde série de dossiers est infiniment plus riche que la première en renseignements solides sur les vraies priorités d'un gouvernement, entre autres parce qu'on y trouve très précisément à quoi le gouvernement allouera les ressources financières dont il dispose.

À Ottawa, le discours sur le budget est habituellement présenté entre la mi-février et la mi-mars. À Québec, il l'est en mars, voire en avril. Dans les deux cas, l'élaboration du budget est un exercice qui s'étend sur pratiquement 12 mois et qui commence au lendemain du dépôt du budget précédent.

Je ne présente pas en détail ces processus, qui sont fort bien expliqués, par exemple, dans l'excellent et tout récent ouvrage de Pierre Cliche[10]. Ils comportent nombre d'opérations compliquées : rencontres avec les agences de crédit, suivi des prévisions de conjoncture, analyse des écarts entre les cibles et les résultats du budget précédent, débats au parlement, etc.

Essentiellement, ce qu'il faut noter est que le cadre budgétaire d'un gouvernement fixe pour les 12 mois qui suivent ses grands axes d'intervention et l'ampleur des ressources qu'il choisira de leur consacrer. Sa fabrication est le produit d'un enchaînement d'étapes dont certaines comportent des moments où il est possible pour des gens bien organisés de faire connaître leurs attentes.

Retenons en particulier qu'à **Ottawa** une phase consultative se déroule de la **fin septembre à la mi-décembre**. Les comités parlementaires permanents des finances et du budget de la Chambre des communes tiennent en effet des audiences publiques permettant à certains groupes de s'y faire entendre. Les décisions finales sont prises vers janvier et février, dans les semaines qui précèdent la présentation du budget.

À **Québec**, le gouvernement a aussi entrepris, ces dernières années, de mener en **janvier** des consultations prébudgétaires publiques, généralement plus restreintes et sur invitation. Les décisions finales sont prises vers février et mars. La figure 3 présentée ci-dessous montre les grandes lignes du calendrier budgétaire du gouvernement du Québec.

Figure 3

CALENDRIER DES TRAVAUX ENTOURANT LE DISCOURS SUR LE BUDGET AU QUÉBEC

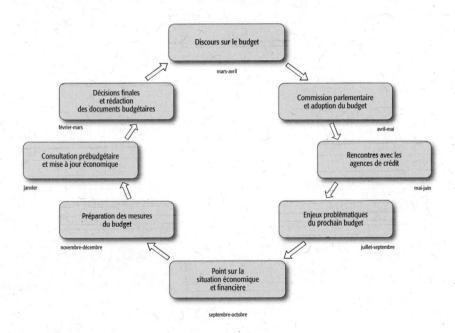

Source : École nationale d'administration publique (2008). *Processus budgétaire et finances publiques au Québec, Québec-Haïti*, 20 mai, Québec, ENAP, p. 49

On comprend donc l'importance pour les gens d'affaires de faire ce qu'ils peuvent pour que leurs priorités soient prises en compte au moment où le budget est élaboré. Une fois les grands arbitrages effectués, le cadre fixé et les documents gouvernementaux rendus publics, il est trop tard pour espérer obtenir autre chose que de très légers ajustements.

Évidemment, dans le cas d'un processus aussi lourd que celui-là, ce sont habituellement des regroupements d'entreprises plutôt qu'une entreprise seule qui essaieront de parler d'une même voix au nom de tout un secteur.

Agir au lieu de réagir

Voici le mode d'emploi que je vous propose de suivre pour construire votre stratégie de relations gouvernementales.

Celle-ci variera évidemment selon le type d'entreprise qui est le vôtre, son secteur, sa situation particulière, les objectifs que vous visez, la conjoncture qui prévaut, le temps et les moyens dont vous disposez, l'idéologie du gouvernement en place, etc.

Le titre du chapitre illustre cependant l'idée maîtresse qui doit toujours vous guider : dans la mesure du possible, il vous faut voir venir les choses afin de pouvoir agir avant que le gouvernement se commette avec force.

Évidemment, ce n'est pas toujours possible. Il arrive qu'un gouvernement prenne ses propres fonctionnaires par surprise avec un changement de cap politique ou une nouvelle directive administrative. Par ailleurs, si un gouvernement se met subitement sur votre dos parce qu'on vous soupçonne d'avoir contrevenu à une loi environnementale ou fiscale, il n'y a pas grand-chose d'autre à faire que de chercher à vous expliquer calmement.

Fondamentalement, les industries qui jouent le mieux la carte des relations gouvernementales sont proactives plutôt que réactives. Il s'agit notamment des **industries agroalimentaire, pharmaceutique et bancaire**.

Lisez maintenant ce qui suit avec une attention toute particulière.

Un prérequis essentiel : établir votre légitimité

On appelle lobbying le fait d'intervenir auprès des pouvoirs publics afin d'influencer leur action dans le sens de vos intérêts.

Votre stratégie de lobbying doit, si elle veut avoir la moindre chance de succès, tenir compte avant toute chose d'une réalité de base absolument fondamentale. Dans toutes les sociétés, on fait une distinction entre ce qui est légal et ce qui est légitime. Évidemment, cela varie selon les sociétés et les époques.

Un geste légal est autorisé par la loi, tandis qu'un geste légitime est généralement perçu comme moralement acceptable. Une action peut donc être à la fois légale et jugée illégitime ou peu légitime, c'est-à-dire qu'elle est permise par les lois, mais qu'elle est mal vue par beaucoup de gens. Pensons par exemple à l'utilisation des paradis fiscaux. Évidemment, l'appréciation de la légitimité d'une action comporte une part de subjectivité : un geste peut être considéré comme légitime par vous et comme illégitime par votre voisin.

Quel est le rapport avec le lobbying ? Il va de soi que vous ne devez rien faire d'illégal, mais cela ne suffit pas. Des démarches parfaitement légales pour influencer les pouvoirs publics peuvent en effet être perçues comme plus ou moins légitimes, plus ou moins acceptables, tant par les pouvoirs publics que par la population, ou encore par des journalistes qui pourraient s'intéresser à vos activités.

Il est donc essentiel que votre stratégie de lobbying soit non seulement légale, mais aussi jugée légitime, donc moralement justifiable. C'est vital parce que, comme nous l'avons vu, les politiciens qui veulent se faire élire ou réélire et les fonctionnaires épris de stabilité sont extraordinairement réticents à faire pour vous des choses qui risqueraient de déclencher un tollé.

Victor Murray a proposé, il y a quelques années, des pistes de réflexion que je continue à trouver très fécondes[11].

Fondamentalement, dit-il, ce que vous faites pour influencer les gouvernements est considéré comme plus ou moins légitime, et donc comme plus ou moins acceptable, par le reste de la collectivité à la lumière de **3 indicateurs** globaux principaux :

- le degré plus ou moins grand de proximité entre les valeurs que véhiculent les milieux d'affaires dans une société donnée et les valeurs prônées par les pouvoirs publics ;

- le caractère plus ou moins équilibré du rapport de force entre les milieux d'affaires et le gouvernement quand ce dernier doit prendre des décisions engageant toute la collectivité ;

- le jugement global que la collectivité porte sur les retombées positives ou négatives pour elle des relations entre l'État et les entreprises.

Précisons, en commençant par le premier point.

Dans toutes les sociétés capitalistes avancées, les gens d'affaires et les associations qui les représentent véhiculent habituellement les mêmes thèmes : la croissance économique est vitale ; la compétition est une bonne chose ; les impôts ne doivent pas être trop lourds ; la bureaucratie doit être allégée. On connaît ce discours. Les individus qui pensent autrement ne se lancent généralement pas en affaires.

Les gouvernements véhiculent eux aussi des valeurs dans leur discours. Celles-ci sont à la fois le reflet des valeurs dominantes de la société et de l'idéologie du parti au pouvoir. Par conséquent, il sera bien sûr question de croissance économique et de fiscalité compétitive, mais également de développement durable, d'équité, de solidarité, d'égalité des chances, etc. En règle générale, ce discours reflètera des préoccupations plus larges que celles des milieux d'affaires, car les autorités chercheront à satisfaire de nombreuses clientèles.

Le lobbying des gens d'affaires, explique Victor Murray, sera jugé par la population d'autant plus acceptable que le discours public qui l'accompagne saura faire écho à ces valeurs fortement enracinées dans la collectivité. Autrement dit, un discours patronal qui semblerait indifférent ou hostile à ces valeurs débouchera sur une mauvaise perception populaire du lobbying.

Le deuxième point de Victor Murray renvoie au fait que les populations n'aiment pas, habituellement, sentir que des milieux d'affaires trop puissants imposent leur autorité à des dirigeants politiques élus. Elles préfèrent que le rapport de force soit équilibré, et même que le gros bout du bâton soit entre les mains des gouvernements. Après tout, nous vivons en démocratie, et nos gouvernements sont théoriquement les représentants de la volonté populaire et les gardiens de l'intérêt général. Dans une société où prédominerait l'impression que le pouvoir des milieux d'affaires est excessif, le lobbying de ces derniers serait négativement perçu.

En d'autres termes, pour être efficace, votre lobbying ne doit jamais se déployer comme si votre relation avec l'État était en vase clos. Il doit :

a) savoir faire écho aux valeurs dominantes de la société, comme, par exemple, se montrer réellement sensible à l'attachement légitime des gens au filet de sécurité sociale, tout en soulignant que c'est la prospérité économique globale qui permet de le financer et donc de le maintenir ;

b) montrer qu'il s'exerce dans le respect scrupuleux du gouvernement qui représente la population ;

c) montrer de façon relativement crédible qu'il peut, si on vous donne satisfaction, avoir des retombées bénéfiques pour le reste de la société, en termes d'emplois et d'investissements par exemple.

Bref, soyez sensible au fait qu'une société, c'est plus qu'un marché comprenant des clients et des rivaux. C'est un ensemble extraordinairement complexe et jamais figé d'acteurs, d'intérêts, de valeurs, de symboles, de règles formelles et informelles, d'institutions, et de relations de collaboration et d'affrontement. Les liens entre ces divers éléments délimitent largement ce que vous pouvez faire ou non.

Un modèle en 5 étapes

Quelle stratégie adopter ensuite ? Cette dernière sera essentiellement déterminée par vos réponses à **5 questions** de base. Celles-ci suivent un ordre logique, qu'il vous faut respecter.

1. Quel est ou quel pourrait être l'impact du gouvernement sur votre entreprise ?

2. Que voulez-vous exactement obtenir du gouvernement ?

3. Comment devez-vous vous organiser ?

4. Qui devez-vous influencer ?

5. Que devez-vous dire et comment le dire ?

Dans les chapitres qui suivent, j'aborde successivement et en détail chacune de ces étapes. Évidemment, dans la réalité, il peut arriver qu'elles se chevauchent.

La démarche proposée ici implique que vos collaborateurs et vous acquériez **3 compétences** fondamentales :

› **une compétence analytique**, c'est-à-dire la capacité de comprendre avec lucidité votre situation, vos contraintes et vos possibilités, et de savoir en tirer des conclusions pratiques ;

› **une compétence organisationnelle**, c'est-à-dire la capacité de mobiliser les ressources humaines et matérielles disponibles, et de les orienter vers l'atteinte de vos objectifs ;

‣ **une compétence relationnelle,** c'est-à-dire la capacité d'établir des contacts, de nouer des alliances circonstancielles ou durables et de savoir persuader les acteurs au sein ou en périphérie de l'appareil gouvernemental.

Une séquence logique

À ce stade-ci, on peut poser que ces étapes – si elles sont respectées et maîtrisées – engagent que vous devez, dans l'ordre :

1. surveiller continuellement l'actualité politique et sociale ;

2. poser un diagnostic lucide sur vous-même ;

3. déterminer exactement ce que vous voulez ;

4. vous doter d'un plan d'action détaillé ;

5. monter un dossier impeccable ;

6. construire un argumentaire convaincant ;

7. préparer le terrain d'avance ;

8. rencontrer les bonnes personnes ;

9. réussir vos rencontres ;

10. assurer un suivi jusqu'à l'aboutissement ;

11. gérer correctement l'après-événement ;

12. reprendre immédiatement votre surveillance de la scène socio–politique ;

13. préparer le prochain round.

Avant de prendre la route

Les conseils suivants devraient vous aider au moment d'entamer l'élaboration de votre stratégie et tout au long des tribulations qui suivront :

Imaginez que vous êtes un surfeur.

On se représente fréquemment l'appareil d'État comme une sorte de machine. On utilise d'ailleurs souvent l'expression « machine gouvernementale ». L'image qui vient en tête est celle d'une horloge : une série de rouages liés entre eux, dont chacun remplit une fonction précise. Selon cette conception, on est porté à percevoir l'action des gouvernements comme le produit de l'évaluation objective des avantages et des inconvénients des diverses options.

Dans les faits, l'élu ou le fonctionnaire n'a pas toute l'information. Il a ses valeurs et ses préjugés, qui limitent son objectivité, et il subit toutes sortes de contraintes. D'autres facteurs entrent en ligne de compte : changements de personnel, crises qui viennent bouleverser l'agenda gouvernemental, évolution de l'opinion publique, de la conjoncture économique, etc. La chance joue aussi parfois un rôle. Cohen, March et Olsen appellent cela l'« anarchie organisée »[12].

Le grand politologue américain John Kingdon explique que les gouvernements se mettent souvent en branle quand ce qu'il appelle des « fenêtres d'occasions » s'ouvrent devant eux. Ces « fenêtres » apparaissent généralement quand il y a simultanément : a) une situation qui impose qu'on agisse ; b) une ou des voies de solutions possibles ; et c) des acteurs qui ont la volonté de s'attaquer au problème.

Ces acteurs, qui peuvent être des élus ou des fonctionnaires, agissent alors comme de véritables entrepreneurs de la politique publique, se chargeant de faire le couplage entre le problème et sa solution. En raison de toutes sortes de circonstances, les « fenêtres » peuvent aussi se refermer. Le gouvernement passe alors à autre chose.

Concrètement, cela signifie pour vous que certains moments sont meilleurs que d'autres pour agir… d'où l'image du surfeur.

Que fait le surfeur ? Il se couche sur sa planche et pagaie vers le large. Il surveille ensuite la mer, sans jamais la quitter des yeux. Il attend la bonne vague. Il patiente le temps qu'il faut, et il doit être prêt à tout moment.

Quand il a choisi sa vague, il pagaie frénétiquement vers la plage avant que la lame le cueille. Il doit ensuite déterminer le moment exact où il lui faut se lever sur sa planche. Il cherche enfin à profiter de la vague pour aller le plus loin possible.

La morale de cette histoire tient en **4 points**. Il vous faut :

› sans cesse surveiller la scène sociopolitique ;

› déterminer la bonne fenêtre d'occasion ;

› vous mettre en action avant le moment crucial ;

› suivre le processus jusqu'à son aboutissement[13].

L'influence réelle se construit sur des relations durables[14].

Imaginons que vous vouliez acheter une automobile neuve. Quelle recommandation aura le plus de poids pour vous ? Celle du vendeur, que vous ne connaissez pas et qui est payé pour vanter son produit, ou celle de votre voisin, que vous appréciez depuis longtemps, qui a acheté le modèle que vous lorgnez et qui vous en dit du bien ?

Bref, il vous faut, dans toute la mesure du possible, construire des relations personnelles solides avec les décideurs gouvernementaux avant de leur demander de vous venir en aide. Un humain normalement constitué est toujours davantage porté à soutenir une personne qu'il apprécie qu'un inconnu qui vient le voir au dernier moment.

Cela suppose évidemment que vous acceptiez de consacrer le temps, les ressources et l'énergie requis pour vous faire connaître, d'où les 5 à 7, les tournois de golf, les œuvres de charité, etc. Si vous investissez dans vos relations avec les acteurs gouvernementaux, vous découvrirez qu'ils sont, en règle générale, tout à fait disposés à vous écouter.

Pour influencer les règles, il faut bâtir des coalitions.

Power Corporation ou Bombardier peuvent à eux seuls influencer nos gouvernements. Ils ont la puissance requise. Sans vouloir vous insulter, je serais surpris que ce soit votre cas.

Vous devez donc trouver, dans votre secteur ou ailleurs, des acteurs qui, pour des raisons qui peuvent être très différentes des vôtres, ont les mêmes objectifs que vous. Une fois que vous les avez découverts, approchez-les et cherchez des façons de travailler avec eux.

Tout cela explique le foisonnement des associations patronales : le but est de réunir des gens qui ont des intérêts communs et d'ainsi décupler leur force. Pour des raisons évidentes, vous serez beaucoup plus persuasif si le gouvernement s'aperçoit que vous n'êtes pas seul. J'y reviendrai.

Il faudra parfois coopérer avec vos compétiteurs.

En raison de ce qui vient d'être dit, il peut arriver que vous deviez passer outre votre antipathie à l'endroit de vos concurrents et travailler avec eux si vous avez des intérêts communs face au gouvernement. C'est particulièrement difficile quand l'animosité existe depuis des années.

Rio Tinto et Alcoa sont des concurrents, mais ils ont aussi un intérêt commun à ce que le gouvernement du Québec les approvisionne en électricité à des tarifs préférentiels. Goldman Sachs, Merrill Lynch et Morgan Stanley Dean Witter sont des rivaux, mais ils se sont unis pour demander au gouvernement américain d'assouplir la réglementation sur les transactions électroniques.

Le choix de l'arène est un élément essentiel de votre stratégie.

Les règles gouvernementales qui vous concernent peuvent, on l'a vu, être issues de décisions administratives (normes et règlements), législatives (lois) ou judiciaires, voire les trois. Elles peuvent relever de la compétence constitutionnelle du gouvernement fédéral, du gouvernement provincial, ou encore, d'une compétence confiée par Québec aux municipalités. Les enjeux qui vous importent seront tantôt locaux, tantôt régionaux, voire internationaux. L'Union des producteurs agricoles, par exemple, sait que le plus grand danger auxquels font face les mesures protectionnistes dont elle bénéficie ne réside ni à Québec ni à Ottawa : il provient des projets de libéralisation du secteur agroalimentaire discutés à l'Organisation mondiale du commerce.

À l'intérieur d'un même appareil administratif, plusieurs ministères et organismes sont responsables de séries de règles qui vous touchent simultanément. Il arrive que des rivalités opposent ces acteurs, tout simplement parce que leurs missions respectives sont de nature différente. Vous aurez alors le sentiment d'être pris dans un labyrinthe... ou d'être une balle de tennis renvoyée de part et d'autre du filet.

Bref, il vous faudra parfois lutter sur plusieurs fronts. Vous chercherez, par exemple, à changer telle ou telle disposition d'un projet de loi, tout en vous préparant à mener une contestation judiciaire ou à obtenir un délai pour ce qui est de son entrée en vigueur. Vous vous questionnerez aussi sur l'opportunité de diversifier davantage votre production. Les fabricants de cigarettes, par exemple, ont joué simultanément sur tous ces tableaux.

Une bonne stratégie face au gouvernement peut devenir un atout commercial.

Les entreprises qui jouent de façon sophistiquée la carte des relations gouvernementales ont bien compris que leurs efforts visant à pousser le gouvernement à poser des gestes qui leur conviennent font partie intégrante de la compétition qu'elles livrent à leurs concurrents.

Prenons un exemple concret[15]. Dans l'industrie informatique, Microsoft dérange beaucoup de gens depuis longtemps. Cependant, quand on affronte un mastodonte, ce n'est pas sur sa propre force qu'il faut miser. Il faut faire du judo.

Incapables de battre Microsoft sur le terrain commercial, des rivaux – notamment IBM et Netscape — ont déposé des plaintes auprès du Département américain de la Justice, accusant l'entreprise de Bill Gates de pratiques monopolistiques. Cela a conduit le gouvernement à poursuivre lui-même Microsoft en justice… au grand plaisir de ceux qui, dans l'industrie, trouvent son poids démesuré.

Nous allons maintenant « dérouler » le modèle en cinq étapes que je vous propose de suivre.

5

Que voulez-vous exactement ?

Vous devez commencer par poser un diagnostic stratégique. Cela signifie qu'il vous faut cerner aussi en amont que possible le rôle que jouent ou que pourraient jouer les pouvoirs publics dans le développement de votre entreprise (et de votre secteur). Cela doit devenir une partie intégrante de votre stratégie à long terme.

Le diagnostic stratégique

Mes étudiants trouvent habituellement très éclairante la figure 4 reproduite à la page suivante.

Vous êtes au centre. Le schéma se lit en commençant en haut à gauche, puis en suivant le sens des aiguilles d'une montre.

Il s'agit d'établir la nature de la relation stratégique qui vous lie ou pourrait vous lier au gouvernement. Cela entraîne des conséquences à tirer et des devoirs à faire.

Figure 4

UN DIAGNOSTIC STRATÉGIQUE

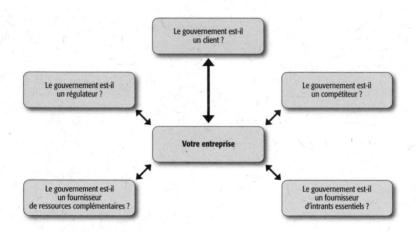

Fondamentalement, il y a **5 options** de base et une multitude de combinaisons possibles.

1. Votre domaine est encadré par diverses lois, diverses normes et divers règlements fixés par le gouvernement. J'en ai déjà traité. Certains secteurs, comme ceux des médicaments ou du transport aérien, sont régulés de manière particulièrement étroite par les autorités. Vous devez connaître sur le bout des doigts tous les processus de fabrication de ces règles du jeu, car vous serez tenu de les respecter.

2. Si le gouvernement est ou pourrait être un de vos clients, vous devez parfaitement comprendre comment il s'y prend pour acheter ce dont il a besoin. Quelle est l'entité qui est en charge des achats ? Comment procède-t-elle exactement ? Qui est aux commandes de ce processus ?

3. Le gouvernement peut aussi être un compétiteur direct. Si votre entreprise livre des colis, Postes Canada est un de vos principaux concurrents. Vous devez alors déterminer froidement quels sont vos atouts ou vos handicaps. Comment vous positionner ? Vous pourriez par exemple vous spécialiser dans les très gros colis, vous concentrer sur certaines aires de desserte ou miser sur une vitesse de livraison supérieure.

4. Le gouvernement est peut-être aussi le fournisseur d'un intrant essentiel à votre production. J'entends par là que vous lui achetez peut-être quelque chose dont vous avez absolument besoin pour fonctionner. L'exemple le plus évident chez nous est sans doute l'électricité. Si c'est votre cas, vous avez tout intérêt à comprendre parfaitement comment le gouvernement fixe les prix qu'il vous charge, afin de pouvoir intervenir à cet égard.

5. Enfin, le gouvernement vous fournit assurément, plus ou moins directement, toutes sortes de ressources complémentaires sur lesquelles vous vous appuyez. Vous utilisez des infrastructures routières, vous comptez sur une main-d'œuvre bien formée. À cet égard, un effort gouvernemental trop limité entraîne des coûts supplémentaires pour vous. Vous avez donc tout intérêt à ce que, lorsqu'il établit ses priorités budgétaires, le gouvernement investisse assez dans les routes ou la formation professionnelle. Or, ces grandes orientations peuvent, jusqu'à un certain point, être influencées.

Vous comprenez l'idée de base : au lieu d'attendre passivement, il vous faut lever le regard, voir loin, et vous demander, à la lumière de ce que vous êtes comme entreprise, ce que le gouvernement fait ou pourrait faire qui a ou pourrait avoir un impact important sur vous.

C'est seulement si ce travail préalable a été soigneusement fait que vous pourrez ensuite déterminer précisément les objectifs que vous devez poursuivre. Sinon, vous jouerez sur les talons et serez toujours en train de réagir aux initiatives des autorités.

Vous devez ensuite devenir un expert du processus gouvernemental en cause, afin de vous donner un maximum de chances de pouvoir l'influencer.

Les contraintes et les options fondamentales

Cette amorce de diagnostic devrait vous aider à dégager progressivement les objectifs de votre stratégie d'influence.

Au moment de fixer ceux-ci, il vous faudra aussi bien sûr tenir compte de vos diverses contraintes et possibilités : votre taille, vos moyens, les particularités de votre secteur, les compétences techniques et relationnelles que vous pouvez mobiliser, les réseaux de contacts dont vous disposez, la conjoncture économique et politique qui prévaut, etc.

Par ailleurs, mettez-vous en tête qu'aucune stratégie n'est bonne ou mauvaise en soi. Si on tient pour acquis que votre diagnostic a été bien posé et que vos objectifs sont réalistes, la qualité de votre stratégie dépendra de son degré d'adaptation à votre situation au début du processus et à la destination finale que vous souhaitez atteindre.

Cela dit, on peut poser que, théoriquement du moins, **3 grandes options** stratégiques s'offrent à l'entreprise[16]. Selon votre situation, vous saurez rapidement laquelle vous convient le mieux.

L'option 1 : l'accommodation mutuelle ou réciproque

On la trouve dans les domaines économiques où l'État et les entreprises ont depuis longtemps conclu un contrat social implicite déterminant assez clairement les rôles et les responsabilités, les droits et les devoirs de part et d'autre, de même que les règles formelles et informelles du secteur.

Le plus bel exemple chez nous est celui du domaine agricole. On y observe certes de vives tensions mais, fondamentalement, une sorte de partenariat, de modus vivendi s'est établi il y a des décennies entre les entreprises agroalimentaires et les gouvernements successifs. Cette entente tacite est axée autour de quelques grands piliers : subventions, stabilisation des revenus, quotas de production, fixation des prix par décret, etc. Il n'y a sans doute aucun autre secteur de notre société où les producteurs – l'Union des producteurs agricoles (UPA) étant à la fois un regroupement d'entrepreneurs et un syndicat – sont à ce point engagés dans les décisions gouvernementales les concernant.

Ce n'est évidemment possible que s'il y a – malgré d'inévitables tensions et même des crises occasionnelles – une forte communauté de vues entre l'État et les entreprises du secteur, une profonde compréhension mutuelle, une sorte de convergence philosophique et pratique fondamentale, d'où mon image d'un contrat liant les parties.

Dans ce genre de contexte, la stratégie de persuasion des entreprises repose sur un travail de proximité, de terrain, de dialogue permanent, d'échange soutenu d'information, de mise sur pied de tables de travail conjointes, le tout mené souvent assez discrètement, loin des médias si possible, pour ne pas réveiller des velléités de remise en question d'un système qui, malgré ses problèmes, fait fondamentalement l'affaire des deux principaux protagonistes.

L'option 2 : l'approche ad hoc

Dans cette configuration, l'entreprise réagit aux initiatives gouvernementales au cas par cas, dossier par dossier, au fur et à mesure qu'elles surviennent. Elle soutient l'initiative ou s'y oppose selon le jugement qu'elle porte sur elle. Pensons ici à l'attitude des milieux d'affaires au moment du conflit canado-américain sur le bois d'œuvre.

Pour être efficace, ce type de stratégie demande que les entreprises aient une forte capacité de persuasion auprès des gouvernements et de l'opinion publique, puisqu'elles ne se mobiliseront vigoureusement qu'une fois la question bien installée sur l'écran de radar des autorités et de la population. En effet, en règle générale, plus on attend avant de frapper, plus on risque de devoir frapper fort pour obtenir des résultats. Il faut donc que les entreprises sachent vite à qui s'adresser, quoi dire et comment le dire.

Voilà pourquoi, dans ce genre de configuration stratégique, les entreprises embauchent fréquemment des lobbyistes professionnels ou parlent par la voix de grandes associations comme le Conseil du patronat ou la Fédération canadienne de l'entreprise indépendante. Ces acteurs ont en effet une expertise précieuse à cet égard. C'est sans doute l'approche à laquelle les entreprises ont le plus souvent recours.

L'option 3 : l'engagement politique

Fondamentalement, elle repose sur le postulat suivant : s'il est parfaitement légitime que le gouvernement fixe les règles du jeu social et que des groupes – syndicats, militants écologistes, activistes antipauvreté, etc. – expriment leurs points de vue, il est tout à fait légitime que les entreprises cherchent, elles aussi, à influencer le climat social, les valeurs collectives et les choix gouvernementaux.

Pour y parvenir, elles pourront par exemple financer des campagnes de publicité ou soutenir des candidats ou des partis proches de leurs vues. Règle générale, cette avenue sera plutôt réservée aux entreprises dotées de moyens considérables.

Le quoi, le qui, le quand et le comment

Vous avez jusqu'ici établi un diagnostic stratégique grâce auquel vous avez pu cerner la nature de votre relation actuelle et potentielle avec le gouvernement. Cela devrait vous permettre de mieux voir venir les actions de celui-ci.

Vous avez aussi posé un regard lucide sur les forces et les faiblesses de votre position. Cela devrait vous permettre de déterminer assez aisément laquelle des trois grandes options stratégiques est la mieux adaptée à votre situation.

Vous devez maintenant clarifier au maximum vos idées sur **4 grandes préoccupations**. Chacune de celles-ci soulève une série de questions auxquelles vous devez vous frotter[17]. Appelons ces préoccupations **le quoi, le qui, le quand** et **le comment**.

Pour appréhender **le quoi,** il vous faut répondre aux questions suivantes au mieux de vos capacités :

▸ Quels sont les principaux enjeux qui pourraient entraîner des initiatives gouvernementales dans mon secteur, et comment ces enjeux risquent-ils d'évoluer ?

▸ Quelles formes pourraient prendre les actions gouvernementales relatives à ces enjeux ?

▸ Quels sont les impacts de ces enjeux et de ces interventions sur mon entreprise, mes clients, mes fournisseurs, mes employés, mes concurrents, l'avenir de mon secteur d'activité, etc. ?

▸ Quelle est l'opinion publique sur ces enjeux et comment risque-t-elle d'évoluer ?

▸ Quelle est, de façon réaliste, ma capacité d'influencer le gouvernement, seul ou avec d'autres ?

Pour appréhender **le qui**, il vous faut cartographier la situation aussi finement et aussi rapidement que possible en répondant à ces interrogations :

▸ Quels sont les principaux acteurs, à l'intérieur et à l'extérieur de l'appareil gouvernemental, qui risquent de jouer des rôles importants liés à ces enjeux ?

▸ Dans quels lieux, à quels moments et de quelles façons ces acteurs vont-ils agir ?

▸ Quels groupes appuient les changements appréhendés et quels groupes s'y opposent ? Quels sont leurs motivations, leurs atouts, leurs handicaps, etc. ?

▸ Dans mon entreprise ou mon industrie, qui connaît le mieux ces enjeux ? Qui peut m'aider et comment ?

Pour circonscrire **le quand**, vous répondrez aux questions suivantes :

▸ À quel stade de développement en est l'initiative gouvernementale concernée ? Rumeur sans fondement apparent, consultations informelles ou formelles, établissement des grandes orientations, débats parlementaires, arbitrages finaux ?

▸ En fonction de ce qui précède et de mes moyens, de combien de temps est-ce que je dispose ?

Afin de définir **le comment**, répondez de votre mieux à ces questions :

▸ De quelle façon établir le contact avec les joueurs-clés ?

▸ Quels outils privilégier pour véhiculer mon message aussi efficacement que possible en fonction des circonstances ? Documents écrits, rencontres privées, campagnes de sensibilisation, recours aux médias ?

▸ Quels sont les arguments les plus persuasifs pour convaincre l'interlocuteur qui est en face de moi ?

Il n'y a évidemment pas de réponse unique à ces questions.

Vos objectifs sont-ils réalistes ?

Permettez-moi de faire ici un commentaire un peu brutal.

Quand j'étais membre du conseil des ministres du gouvernement du Québec et député à l'Assemblée nationale, j'ai participé à d'innombrables rencontres sollicitées par des gens d'affaires parfois éminents. Ils étaient d'une grande éloquence pour étaler leurs frustrations et leur mécontentement, mais avaient souvent une étonnante difficulté à dire clairement, précisément et succinctement ce qu'ils voulaient et pourquoi ils le voulaient.

Comment une demande qui ne peut être résumée en quelques mots et qui n'est pas même claire pour celui qui la formule pourrait-elle l'être pour celui qui la reçoit et qui doit déterminer s'il lui donne suite ou non ?

Plus largement, dans la vie publique, l'idéal correspond rarement au possible. Habituellement, ce que vous souhaitez le plus est hors de portée. Il faut donc vous assurer que vos objectifs sont en rapport avec les moyens et le temps dont vous disposez.

Admettons qu'un gouvernement s'apprête à introduire un changement que vous jugez préjudiciable à vos intérêts. Théoriquement, **3 options** s'offrent à vous.

1. Vous pourrez vouloir le **bloquer** si vous le jugez très dommageable pour vous et que vous vous y prenez suffisamment tôt. Pensons par exemple à un appel d'offres rédigé par le gouvernement d'une façon qui vous empêche automatiquement de présenter une soumission.

2. Si le changement est néanmoins inévitable, qu'il ne peut être stoppé, mais que sa nature peut être influencée, vous essaierez alors de le **modifier.** Par exemple, vous pourriez vouloir restreindre le champ d'application d'une nouvelle directive de manière à ce qu'elle ne s'applique pas à votre entreprise.

3. Si le changement n'est ni évitable ni modifiable, vous pouvez tenter de le **retarder,** afin de minimiser vos pertes et de gagner du temps.

Chacune de ces options est plus ou moins exigeante en matière de temps, de ressources, de difficultés. Assurez-vous que vous livrez non la bataille que vous avez le plus envie de mener... mais celle qui offre le meilleur rapport coût-bénéfice. Par exemple, vos émotions vous crient sans doute de tenter de stopper net un gouvernement qui a clairement décidé d'agir à l'encontre de vos intérêts, mais est-ce vraiment le meilleur usage à faire de vos ressources limitées si la pente à remonter est très abrupte ?

Imaginons maintenant que vous voulez convaincre le gouvernement d'initier quelque chose qui ne faisait pas partie de ses plans, comme par exemple la mise sur pied d'un programme de relance de votre secteur. Il s'agit généralement de l'opération la plus difficile de toutes, car vous devez vous battre contre la force d'inertie considérable de l'appareil gouvernemental. Le jeu en vaut-il vraiment la chandelle ?

Dites-vous aussi que la bataille que vous choisirez de livrer ne se déroulera pas seulement entre vous et le gouvernement. D'autres acteurs – vos concurrents, des syndicats, des activistes sociaux, les médias – pourraient s'y intéresser et s'y engager. Vous risquez donc de déclencher une cascade de réactions que vous maîtriserez d'autant moins qu'elle sera plus large.

Il faut toujours essayer de prévoir comment tous les acteurs peuvent réagir. Vous en viendrez peut-être alors à la conclusion qu'il vaut mieux endurer un petit désagrément que de déclencher une mobilisation contre vous qui pourrait être beaucoup plus dommageable. Il est souvent vrai que « un tiens vaut mieux que deux tu l'auras ».

Par ailleurs, les gens d'affaires aiment bien évoquer le « bon sens » sans prendre en compte l'évidence suivante : ce qui est sensé pour eux peut être parfaitement irréaliste du point de vue de l'acteur gouvernemental à qui la demande est adressée.

Vous devez vous assurer que vos objectifs sont réalistes non seulement pour vous – ce qui va de soi –, mais aussi pour ceux dont vous souhaitez l'appui.

J'ai fréquemment vu des gens d'affaires demander au gouvernement de faire des gestes :

- contraires à des engagements électoraux auxquels les élus croyaient vraiment ; dans les faits, ils leur demandaient de briser des promesses, ce qui ne se fait jamais sans prix à payer ;

- contraires à des intentions gouvernementales énoncées publiquement peu de temps avant, ce qui revenait à demander aux élus de marcher sur leur peinture fraîche ;

- impossibles à la lumière des ressources financières disponibles ;

- très difficiles à satisfaire eu égard au calendrier législatif, électoral ou budgétaire ;

- qui soulèveraient un tollé dans d'autres secteurs de la société et qui seraient donc dommageables sur le plan politique.

Bref, demander la lune au gouvernement ou l'enjoindre de se tirer une balle dans le pied pour vous, c'est perdre votre temps, lui faire perdre le sien et garantir qu'il se rappellera négativement de vous à l'avenir.

Retenez enfin que l'établissement et la poursuite des objectifs, pour cruciaux qu'ils soient, doivent toujours se concevoir avec souplesse. Les circonstances peuvent changer extraordinairement vite, et vos objectifs doivent s'adapter. La rigidité excessive peut être aussi néfaste que l'imprécision.

Il n'existe pas de formule permettant de déterminer à l'avance à quel moment il faudra changer de stratégie ou d'objectifs. Au fond, comme l'a fort bien résumé un jour un de mes étudiants, il faut penser de manière stratégique, mais agir de façon opportuniste.

Savoir s'organiser

Une fois que vous savez ce que vous voulez, vous devez vous organiser pour y parvenir. Il y a évidemment plusieurs façons de vous y prendre, mais les grandes décisions que vous devez affronter se dégagent aisément.

Permettez-moi d'insister sur un point déjà évoqué : la meilleure stratégie sur papier ne donnera rien si vous ne croyez pas réellement, profondément, durablement à l'importance de cultiver vos relations gouvernementales et, conséquemment, d'y investir le temps, l'énergie et les moyens requis.

Agir seul, embaucher, vous regrouper ?

C'est la première question à régler.

Si vous êtes aux prises avec un problème légal ou technique qui ne concerne que votre entreprise, vous devrez, la plupart du temps, vous débrouiller seul. Cela dit, vous pourrez sans doute vous servir des conseils prodigués par des associations dont vous faites peut-être partie, comme une chambre de commerce ou un regroupement d'entreprises de votre secteur. Je reviens dans un instant à ce genre d'organisations.

Quelques très grosses entreprises ont un département des relations gouvernementales dont le responsable occupe fréquemment le rang de vice-président. Il s'agit habituellement d'entreprises œuvrant dans des secteurs hautement réglementés, comme le domaine pharmaceutique ou l'industrie pétrolière. Une telle option est évidemment très coûteu-se. De plus, une division des relations gouvernementales ne donne son plein rendement que si ses responsables sont pleinement associés à la détermination des orientations stratégiques de l'entreprise et ont un accès direct et fréquent à la haute direction.

Les organisations qui ont ce genre de structure placent à la tête de celle-ci des gens souvent issus des milieux politiques – anciens ministres, députés, directeurs de cabinet –, c'est-à-dire des gens qui ont une connaissance de l'appareil gouvernemental acquise de l'intérieur, plu-tôt que des experts de l'industrie à laquelle appartient l'entreprise.

Si vous lisez ce livre, il est peu probable que vous ayez à décider vous-même de la pertinence de doter votre entreprise d'un tel département. Cependant, si c'est le cas, les principales questions à régler sautent aux yeux :

▸ qui dirigera le département ?

▸ quel sera son rôle exact dans le processus décisionnel ?

‣ où le département se situera-t-il dans l'organigramme de l'entreprise ?

‣ de quels moyens disposera-t-il ?

Voilà pour la théorie. En pratique, la tendance dominante depuis une bonne vingtaine d'années est de se détourner de ce genre d'aménagement, qui est lourd et coûteux, et de recourir plutôt, sur une base ad hoc, aux services de firmes spécialisées dans les relations gouvernementales.

On constate en effet depuis longtemps que la haute direction des grandes entreprises voit souvent sa division des relations gouvernementales comme un appendice un peu encombrant, une dépense agaçante, une ressource dont on ne sait trop comment tirer le maximum. Rarement, très rarement, l'entreprise la considère comme un volet crucial de ses activités, au même titre que la production ou le marketing.

Pour reprendre la terminologie anglo-saxonne du management, les relations gouvernementales sont généralement vues comme une fonction *staff* plutôt que comme une fonction *line*. De toute façon, ce type de département ne donnera jamais un meilleur rendement qu'une haute direction elle-même pleinement engagée dans les relations gouvernementales.

L'embauche d'une firme de consultants en relations gouvernementales est une option à envisager. Elle a pris une importance considérable ces dernières années à Ottawa et, dans une moindre mesure, à Québec. Les firmes les plus sérieuses maîtrisent parfaitement le fonctionnement de l'appareil politico-administratif, connaissent souvent personnellement les joueurs-clés, entendent parler de ce qui se prépare dans les cuisines de l'État, savent rédiger des documents dans le style qui est familier aux décideurs gouvernementaux, etc.

Au moment où ces lignes sont écrites, les firmes de relations gouvernementales les mieux établies au Québec sont sans doute HKDP, National et Ryan Affaires publiques. À Ottawa, Global Public Affairs et Earnscliffe Strategy sont des firmes très en vue, mais il y en a aussi d'autres. Elles renouvellent fréquemment leur personnel, ont l'intelligence de cultiver leurs contacts dans toutes les familles politiques, font un *monitoring* à temps plein de l'actualité, et ont (habituellement) la sagesse de ne pas promettre plus que ce qu'elles peuvent livrer.

On fait souvent une distinction entre les relations publiques (gérer votre image et vos communications) et les relations gouvernementales (faire cheminer vos intérêts auprès des décideurs gouvernementaux). Cependant, dans les faits, les plus grosses firmes de consultants, surtout au Québec, feront les deux. À Ottawa, où l'appareil gouvernemental est plus vaste, on trouvera davantage de firmes qui se consacrent exclusivement aux relations gouvernementales.

Habituellement, ces firmes factureront leurs services à l'heure ou à forfait sur une base mensuelle. La législation québécoise interdit le paiement par commission, c'est-à-dire le versement d'un pourcentage du montant total d'un contrat obtenu. À Ottawa, on pratique davantage la formule dite du « value-billing », par laquelle la firme et le client déterminent d'avance et conjointement les objectifs visés, et s'entendent sur une rémunération en rapport avec le succès rencontré.

Les services de ces firmes ne sont évidemment pas à la portée de toutes les bourses. À Québec, les taux horaires vont, à l'heure actuelle, de 150 $ de l'heure pour un conseiller à 300 $ pour un cadre senior. À Ottawa, cela va de 150 $ à 500 $. Sur une base mensuelle, les forfaits peuvent aller de 3 000 $ à 10 000 $. L'actuelle crise économique s'est d'ailleurs révélée une occasion d'affaires pour ces firmes puisque les entreprises se tournent davantage vers l'État quand la situation se corse.

Retenez toutefois le point crucial suivant : elles vous accompagneront, vous guideront, vous conseilleront, vous prépareront du matériel... mais cela ne vous dispensera pas de faire vous-même vos représentations. Un décideur gouvernemental préfère toujours avoir un contact direct avec un représentant de l'entreprise plutôt qu'avec un intermédiaire. Les entreprises les plus aguerries utilisent d'ailleurs souvent leurs services pour venir enrichir et épauler leurs ressources internes plutôt que de tout déléguer à une firme externe afin de ne plus avoir à s'en occuper elles-mêmes.

Si vous choisissez cette avenue, cherchez, avant de jeter votre dévolu sur une firme, à en savoir le plus possible sur sa feuille de route, son expérience dans votre domaine, ses autres clients, ses succès ou échecs passés, les conflits d'intérêts possibles, etc.[18] Sur le Web, vous trouverez des regroupements comme l'Alliance des cabinets de relations publiques du Québec ou la Société québécoise des professionnels en relations publiques, qui pourront vous servir de porte d'entrée.

Il arrive aussi parfois qu'un individu s'improvise lobbyiste et vous promette monts et merveilles. Il s'agit souvent d'un ex-attaché politique qui vient de quitter le petit milieu des cabinets ministériels. Le roulement de personnel étant élevé dans ces derniers, ses contacts auront une durée de vie très limitée, et les portes se fermeront devant lui le jour où son parti perdra le pouvoir.

La troisième avenue qui s'offre à vous en matière d'organisation est, à vrai dire, davantage une obligation qu'une option. Le monde des affaires regorge d'associations de toutes sortes qui unissent des entreprises ayant des intérêts communs. Les regroupements se font sur diverses bases : le secteur, la taille, le produit, la région, etc.

Il est impossible qu'il n'existe pas au moins une association dont vous pourriez tirer profit. La liste est interminable et en constante évolution. Renseignez-vous auprès d'autres gens d'affaires et joignez (impérativement) les regroupements qui vous semblent potentiellement utiles. Ils ont tous des sites Web contenant les renseignements requis.

Certaines de ces associations sont très présentes dans les médias : la Fédération canadienne de l'entreprise indépendante, qui cherche à représenter les PME, le Conseil du patronat, qui regroupe une soixantaine d'associations sectorielles, l'Alliance des Manufacturiers et des Exportateurs du Québec, et la Fédération des chambres de commerce du Québec, qui comprend plus de 55 000 entreprises et quelque 170 chambres de commerce locales.

Il existe aussi une liste étourdissante de regroupements sectoriels de gens d'affaires : meubles, restauration, commerce de détail, transport scolaire, construction de routes, industrie du plastique, industrie forestière, écoles privées, génie-conseil, et ainsi de suite. Certains de ces regroupements font partie des grandes organisations parapluie déjà nommées. Beaucoup sont également membres d'associations pancanadiennes.

Leur efficacité est évidemment variable. Pensez-y : plus une organisation embrasse large, plus les consensus qu'elle doit dégager parmi ses membres pour pouvoir parler au nom de tous se font sur de petits dénominateurs communs. Il y a donc forcément beaucoup de vœux pieux et peu de substance. Vous aurez relativement peu d'influence sur les décisions, et vos priorités personnelles risquent de ne pas être celles que le regroupement mettra le plus en valeur. Ce n'est cependant pas une raison pour bouder ce type d'associations.

L'inverse peut aussi être vrai : plus le regroupement se fait sur des bases étroites, plus son propos gagne en précision et plus votre poids à l'interne risque d'être élevé. Rappelez-vous ce que nous avons vu au chapitre 2 sur la redoutable efficacité des petits groupes bien organisés par comparaison avec celle des organisations pachydermiques.

Cela vaut également pour le critère de la notoriété. Qu'une organisation soit très connue ne signifie pas forcément qu'elle sera très influente. Inversement, des organisations parfaitement inconnues du grand public et dont les médias ne parlent jamais peuvent être redoutablement efficaces.

Du point de vue des décideurs publics, ces regroupements de gens d'affaires ont, au moins théoriquement, deux grands avantages : ils leur permettent d'avoir rapidement le pouls du secteur en question et ils peuvent faciliter l'établissement de consensus dans le milieu.

Ce qui est certain, c'est que ces regroupements, quels qu'ils soient, vous aideront à vous tenir informé, vous donneront des conseils, vous permettront de rencontrer des gens qui partagent vos préoccupations, d'élargir votre réseau de contacts, d'échanger sur vos expériences, etc. À la condition, évidemment, de vous engager pleinement dans cette vie associative… Cela nous ramène à un point déjà évoqué : si vous voulez des résultats, vous devez y consacrer le temps et les efforts requis.

Une quatrième avenue à explorer sur le plan organisationnel consiste, si la situation s'y prête, à tenter de mobiliser vos propres employés. Eux aussi ont intérêt à ce que votre entreprise soit entendue. Eux aussi peuvent véhiculer votre message. Eux aussi ont souvent des contacts avec leurs élus locaux. Pensez aux possibilités que cela ouvre.

Bien sûr, cela implique que vous devez les informer, les convaincre du bien-fondé de vos objectifs, les organiser, les mettre dans le coup, et donc, ouvrir votre propre jeu et leur faire confiance.

Ce n'est pas non plus sans risque. Tous les députés, sans exception, ont déjà reçu – par centaines, si ce n'est par milliers – des lettres qui veulent donner l'impression qu'un grand nombre de gens appuient ou protestent contre ceci ou cela. Vérification faite, il s'agit d'une campagne organisée centralement, utilisant les identités de gens moins concernés qu'on ne veut le faire croire. C'est alors la crédibilité de ceux qui sont à la tête de l'opération qui est touchée.

Trouvez-vous des alliés

Une chose est sûre, si votre objectif est de convaincre un gouvernement d'entreprendre (ou de ne pas entreprendre) quelque chose de majeur, vous n'y arriverez pas tout seul. Pour des raisons évidentes, vous le persuaderez plus aisément du bien-fondé de votre demande si vous réussissez à lui faire sentir que beaucoup de gens sont avec vous.

Comment vous y prendre pour bâtir une coalition[19] ? Les **8 points** qui suivent devraient vous y aider.

1. Déterminez les alliés potentiels.

C'est la première chose à faire. Qui partage vos préoccupations ? Il peut s'agir de vos concurrents, de vos fournisseurs, de vos employés, voire d'acteurs œuvrant dans des secteurs très éloignés du vôtre, mais qui ont aussi, disons, intérêt à ce que le gouvernement abaisse telle taxe, simplifie telle procédure ou investisse plus dans les infrastructures. Levez le regard et pensez large. Dites-vous cependant que, pour convaincre ces gens de se joindre à vous, vous devez faire vôtre au moins une partie de leurs préoccupations.

2. Accompagnez les hésitants dans leur cheminement vers vous.

Ne perdez pas de temps avec ceux qui, à l'évidence, resteront irrémédiablement opposés à vous. Après avoir rapidement rallié ceux qui partagent d'emblée vos objectifs, concentrez-vous sur les alliés potentiels qui hésitent.

Mettez-vous à leur place : établissez quelles sont les raisons qui pourraient les attirer vers vous et quelles sont les pressions qui les font hésiter. Vous devez renforcer les premières – par exemple, en insistant sur vos intérêts communs ou en faisant une plus grande place à leurs soucis particuliers – et travailler à affaiblir les secondes – par exemple, en leur donnant un coup de main pour surmonter des résistances auxquelles ils font face à l'interne ou de la part d'autres acteurs. Révélez-les leur, par exemple, comment vous avez surmonté les problèmes auxquels ils font face maintenant.

Il est bien connu que les hésitations se surmontent rarement d'un seul coup ; on en vient généralement à bout par un processus d'apprivoisement. Si vous obtenez un petit geste d'appui ou d'ouverture de la part de quelqu'un, vous le prédisposez à en faire un autre, puis un autre, qui augmenteront progressivement la confiance et la complicité, et qui, éventuellement, déboucheront sur l'engagement.

En revanche, le fait d'exiger trop rapidement un engagement total risque d'insécuriser, d'indisposer et de faire fuir les gens. Au lieu de demander directement à une personne qui hésite si elle se joindra ou non à votre croisade, commencez donc par l'inviter à en parler, à échanger de l'information, envoyez-lui un billet de courtoisie pour un événement qui pourrait l'intéresser, etc. Une toile prend du temps à se tisser. La dynamique du mariage entre un homme et une femme n'est pas tellement différente.

3. Repérez les mentors.

Chaque être humain, sans exception, connaît des personnes auxquelles il fait particulièrement confiance. Si vous devez convaincre X de se joindre à vous et si X, pour mille et une raisons, accorde de l'importance à l'opinion de Y, allez faire un tour chez Y.

4. Rendez les autres options moins attrayantes.

Une technique classique de persuasion consiste à miner les solutions de rechange. Quand il s'agit d'attirer un hésitant, c'est surtout l'option du statu quo qu'il faut décrédibiliser. Comme le notent Watkins et Edwards, un travailleur se trouvant sur une plateforme de forage qui prend feu n'a sûrement aucune envie de faire un plongeon de 50 m dans les eaux glacées de l'Atlantique Nord, mais il le fera s'il voit qu'une boule de feu se dirige à toute vitesse vers lui[20].

5. Concevez des événements qui forceront la prise de décision.

Plus ou moins consciemment, nous passons notre temps à faire des analyses coûts-bénéfices. Tant et aussi longtemps qu'un hésitant aura le sentiment que faire quelque chose risque d'avoir des coûts supérieurs à ceux de ne rien faire, il continuera à hésiter. D'où la nécessité, tôt ou tard, de forcer sa prise de décision en fixant un délai, une date butoir, un vote crucial, etc.

Évidemment, votre crédibilité reposera sur votre capacité à aller de l'avant et à triompher sans lui, et sur votre détermination à mettre votre ultimatum à exécution. Les parents qui menacent à tout bout de champ leurs enfants mais qui ne passent jamais à l'acte finissent par perdre toute autorité.

6. Évitez que vos tactiques de persuasion deviennent elles-mêmes un objet de débat.

Pour bâtir une coalition, vous devez expliquer, persuader, cajoler, flatter, voire menacer. Ne le faites pas d'une manière qui pourrait se retourner contre vous. La partie n'est jamais terminée… et les autres se souviendront longtemps de la façon dont vous vous serez conduit avec eux.

7. Entretenez votre coalition.

Le fait de regrouper des gens aux intérêts communs pour une éventuelle action concertée ne suffit pas. Il vous faut entretenir cette coalition, à plus forte raison si l'opération que vous entreprenez risque de prendre du temps.

Un groupe de gens qui ne se réunit pas, qu'on n'informe pas, à qui on ne fait rien faire, qui est purement passif, finira par se démobiliser. Voilà pourquoi, par exemple, les chefs des partis politiques passent beaucoup de temps à parler à leurs militants qui, pourtant, pensent comme eux pour l'essentiel.

8. Prévoyez les gestes de vos adversaires.

Ce que vous faites pour constituer une coalition de gens poursuivant les mêmes objectifs que vous ne passe pas inaperçu. Vous rencontrez des élus, parlez aux médias, sensibilisez d'autres acteurs de votre secteur, etc.

Vous devez continuellement surveiller et essayer de prévoir les réactions des gens qui ont des intérêts différents des vôtres. Dans la mesure du possible, évitez de provoquer la constitution d'une coalition d'adversaires. Si cela est impossible, ou si ce regroupement existait avant que vous vous mettiez en mouvement, posez-vous les questions suivantes :

- depuis combien de temps l'opposition s'organise-t-elle ?

- est-elle unie par des intérêts communs durables et profonds ou par des considérations opportunistes à court terme ?

› Y a-t-il des maillons faibles dans la coalition adverse ?

› Puis-je les détacher, voire les attirer dans mon camp ?

Agissez ensuite en fonction de vos réponses.

L'encadrement légal du lobbying

J'ouvre ici une courte parenthèse tant la chose me paraît importante.

Tant à Ottawa qu'à Québec, des lois cherchent à encadrer ce que les entreprises et leurs représentants peuvent faire pour essayer d'influencer les gouvernements. Ces lois, qui sont relativement récentes (et donc peu connues), sont accompagnées de règlements afférents et de codes de déontologie.

On trouvera tous les renseignements pertinents sur les excellents sites Web des commissaires fédéral et québécois au lobbyisme : www.ocl-cal.gc.ca et www.commissairelobby.qc.ca. Allez-y tout de suite, avant de vous mettre les pieds dans le plat. Beaucoup de gens d'affaires sont en effet portés à se dire : « Moi, un lobbyiste ? Ben voyons, je suis un entrepreneur ! » (ou un ingénieur, un avocat, un urbaniste, etc.)

Dans la législation fédérale et dans celle du Québec, le lobbying est défini de façon assez large. Par exemple, la loi québécoise le définit comme...

> « ... un ensemble de communications orales et écrites, amorcées et menées par des intervenants professionnels ou par des personnes mandatées par leur entreprise ou par leur organisation en vue d'influencer, en dehors des procédures publiques ou connues du public, la prise de décisions par les titulaires de charges publiques sur une vaste gamme d'objets.[21] »

Bref, que vous agissiez pour votre compte ou pour celui de quelqu'un d'autre, que vous fassiez cela à temps plein ou non, que vos intentions soient parfaitement légitimes (je tiens pour acquis qu'elles le sont), que votre vrai métier ou votre formation d'origine ait peu à voir avec les relations gouvernementales, tout cela ne change rien : chercher à influencer la prise de décisions par le titulaire d'une charge publique – au cours d'une rencontre en face à face, en groupe restreint, ou en remettant des documents – est du lobbying couvert par une loi.

La loi québécoise ratisse *très* large. Elle s'applique aux activités de lobbyisme exercées auprès des détenteurs de charges publiques dans les institutions parlementaires et les quelque 300 ministères, organismes et entreprises du gouvernement du Québec. Elle englobe également les représentations faites auprès des 1 129 municipalités du Québec et des organismes qui en relèvent.

Elle couvre…

> « … non seulement les décisions relatives à l'élaboration, à la présentation, à la modification ou au rejet d'une proposition législative ou réglementaire, mais également celles relatives à bon nombre d'actes administratifs comme la délivrance de permis, de certificats et d'autorisations ou l'attribution de certains contrats, de subventions ou d'autres avantages pécuniaires provenant de fonds publics.[22] »

Autrement dit, demander à votre député de vous aider à obtenir une subvention, demander à un fonctionnaire du ministère de l'Environnement une dérogation vous permettant de construire dans une zone protégée, demander à un fonctionnaire municipal d'accélérer la délivrance d'un permis de construction pour effectuer les travaux qu'un de vos clients vous a demandés, tout cela est du lobbying[23].

Cette loi s'applique à vous si vous agissez pour le compte d'une entreprise à but lucratif ou d'un regroupement patronal, syndical ou professionnel. Elle ne s'applique pas à vous si vous agissez pour le compte d'une organisation humanitaire, charitable ou sans but lucratif.

La loi fédérale ratisse aussi très large. Dans cette dernière, sont considérés comme titulaires d'une charge publique les députés et les sénateurs fédéraux, leur personnel, tous les fonctionnaires, toutes les personnes nommées par le gouvernement fédéral à l'exception des juges et des lieutenants-gouverneurs des provinces, les administrateurs, les dirigeants et les employés de tout office fédéral au sens de la *Loi sur les Cours fédérales,* de même que les membres des Forces armées et de la GRC. Bref, la loi fédérale « n'échappe pas » grand monde.

Par ailleurs, que vous fassiez du lobbyisme-conseil (pour quelqu'un d'autre) ou du lobbyisme d'entreprise ou d'organisation, vous êtes tenu, tant à Ottawa qu'à Québec, de vous enregistrer dans un registre public des lobbyistes et de déclarer divers renseignements : démarches effectuées, objet de celles-ci, période couverte, gens rencontrés, moyens de communication utilisés, honoraires reçus (si applicable), etc. Enquêtes, amendes et radiations peuvent être au menu si vous enfreignez des dispositions dont on tient pour acquis que vous les connaissez.

Ceci dit, ne paniquez pas outre mesure : tant au niveau fédéral qu'au niveau provincial, les dispositions légales en vigueur ne visent pas à empêcher ou à compliquer une activité dont la légitimité est reconnue, mais simplement à s'assurer qu'elle se fait de manière transparente et intègre. Ces dispositions sont simples, raisonnables et fort bien expliquées dans les deux sites Web dont j'ai donné les adresses.

Véhiculer le message

Les 10 commandements pour un message efficace

Vous savez ce que vous voulez et vous vous êtes organisé en conséquence. Il faut maintenant diffuser votre message. Vous devez apprendre à vous mouvoir comme un poisson dans l'eau au sein de votre communauté et dans vos relations avec les décideurs gouvernementaux et les autres acteurs sociaux. Retenez ce qui suit.

1. Si on ne vous connaît pas, vous n'existez pas.

Si vous demandez de l'aide à une personne que vous rencontrez pour la première fois, elle vous traitera fort probablement comme un inconnu. C'est ce que vous êtes pour elle, après tout. Elle fera sa «job». Ni plus ni moins.

Sortez du bureau. Faites-vous connaître en participant à un nombre raisonnable d'activités sociales auxquelles sont présents ceux dont vous pourriez avoir besoin. Cependant, ne vous contentez pas d'être là. Présentez-vous à eux. Établissez un premier contact et intéressez-vous à ce qui les intéresse, eux. Ce n'est évidemment ni le lieu ni le moment pour faire un grand exposé sur votre plan stratégique.

2. Il n'y a pas de substitut au temps.

Il faut beaucoup de temps pour vous faire connaître et pour établir votre crédibilité dans votre milieu. Ce temps a évidemment un coût. Acceptez de le payer. Ne commettez pas l'erreur de croire que vous pouvez vous en sauver en embauchant à prix d'or, au dernier moment, une firme de relations gouvernementales. Souvenez-vous : ces firmes peuvent certes vous aider, mais elles viennent surtout offrir un complément au travail de terrain que vous avez déjà fait et que vous devez continuer à faire.

Oui, je sais, vous êtes débordé. Toutefois, le prix à payer si le gouvernement, par exemple, vote une loi dont les effets sont dévastateurs pour vous sera infiniment plus élevé que celui que vous aurez investi pour enrichir votre réseau de contacts. Repensez donc l'organisation de votre travail afin de dégager du temps pour cela.

Gardez aussi en tête que, si vous déléguez cette tâche de représentation à un subalterne, vous enverrez par le fait même le signal que vous n'accordez pas aux relations gouvernementales assez d'importance pour vous en occuper vous-même.

3. Définissez vous-même les enjeux.

Les enjeux qui vous préoccupent peuvent être lus de diverses manières selon la position de chaque acteur social. Une nouvelle taxe qu'on vous impose constitue un frein pour vous mais, pour de nombreux citoyens, il s'agit d'une façon légitime de « faire payer les riches ».

Dans la mesure de vos moyens, essayez de faire en sorte que les discussions autour des enjeux qui vous concernent soient campées dans des termes qui font apparaître vos préoccupations sous la lumière la plus favorable pour vous. Il n'est pas interdit d'être subtil.

Par exemple, le fait de parler de l'importance de rester compétitif, de lutter à armes égales, d'affronter une concurrence loyale plutôt que déloyale, est toujours mieux perçu que le fait de parler trop carrément de vos profits. Sur le fond, cela revient pourtant au même. Considérez le langage habituel de la grande entreprise : elle préfère dire qu'elle « redéploie » ses activités plutôt que de dire qu'elle « abandonne » un secteur. Quand elle doit congédier du personnel, elle met l'accent sur les possibilités que la restructuration ouvre.

Évidemment, ces subtilités sémantiques vont parfois trop loin ; elles peuvent devenir ridicules et donner la fâcheuse impression que vous prenez les gens pour des imbéciles. Restez crédible.

4. Comprenez les priorités du gouvernement.

Non, l'idéologie d'un gouvernement n'est pas qu'un discours creux. Non, les programmes électoraux ne sont pas que des attrape-nigauds. Ces gens veulent certes être réélus, mais ils ont aussi des convictions réelles que vous avez tout intérêt à connaître.

Dans la mesure du possible, montrez que ce que vous voulez va dans le sens des objectifs du gouvernement ou, à tout le moins, que ce n'est pas contradictoire. Si vos buts sont diamétralement opposés à ceux du gouvernement, préparez-vous à ramer... et à réexaminer vos objectifs.

5. Sachez ce qui touche la population.

Les décideurs gouvernementaux, particulièrement ceux qui veulent se faire réélire, ne vont que très rarement à l'encontre des vents dominants de l'opinion publique, tant à l'échelle nationale qu'à l'échelle locale. Si

votre projet d'agrandissement d'usine est impopulaire parce qu'il entraî-
nerait un dégagement d'odeurs ou une baisse de la valeur des maisons
situées à proximité, ne vous attendez pas à recevoir beaucoup d'aide.
Vous devez réellement vous soucier de ce qui préoccupe la population
et pas seulement faire semblant.

En règle générale, dans votre milieu, vous pouvez compter (ou non)
sur le soutien de la population et des divers intervenants sociaux selon
la perception qu'ils se font des retombées positives ou négatives de vos
plans. Les mérites d'un projet ne suffisent habituellement pas à le faire
triompher. Il faut travailler à le faire connaître, convaincre la communauté de ses avantages, et tenter de désamorcer les craintes et les
rumeurs sans fondement.

6. Ratissez large : élus, adjoints des élus, fonctionnaires, gens d'affaires, syndicats, milieu communautaire.

Ne commettez pas l'erreur de concentrer trop étroitement votre travail
de réseautage sur la poignée de gens qui vous semblent être les détenteurs du « vrai pouvoir ». Ces derniers font eux aussi partie de réseaux
sociaux les mettant en contact avec des tas de personnes. En attendant
de rencontrer A, parlez à B : qui sait, il rencontrera peut-être A avant
vous, et peut-être lui parlera-t-il de vous.

N'oubliez pas non plus que les adjoints ont souvent une connaissance
plus pointue des questions que leurs patrons. Ne soyez pas décontenan-
cé par leur jeunesse. N'oubliez pas, comme je l'ai déjà mentionné, que,
si vous leur laissez une mauvaise impression parce que vous les traitez
avec hauteur et condescendance, cela pourrait venir aux oreilles du
patron, auquel ils font continuellement des rapports.

7. Une voie à double sens : si vous demandez, on vous demandera.

Votre conseiller municipal ou votre député vous a réellement aidé. Fort bien, mais ne vous offusquez pas s'il vous demande ensuite de contribuer à sa campagne de financement ou de venir à une de ses activités publiques. Vous auriez mauvaise grâce à ne pas retourner l'ascenseur.

Dans la foulée, gardez en tête que les hommes politiques sont continuellement sollicités par d'autres personnes. Ils donnent, en temps et en énergie, infiniment plus qu'ils n'obtiennent en reconnaissance. En leur offrant une information ou une assistance qu'ils n'ont pas sollicitée et qui peut leur être utile, vous mettez en quelque sorte des points dans votre banque pour le jour où vous aurez réellement besoin d'eux.

8. Ne mettez pas tous vos œufs dans le même panier politique.

Le Canada et le Québec sont des démocraties libérales où l'alternance des partis au pouvoir est la règle davantage que l'exception. À Ottawa, conservateurs et libéraux s'échangent le pouvoir à intervalles plus ou moins réguliers. À Québec, libéraux et péquistes font la même chose. Cela continuera dans l'avenir prévisible. La situation est plus variable sur la scène municipale : on y voit des changements réguliers, mais aussi des individus qui s'installent pour longtemps aux commandes.

Dans les situations où l'alternance est la norme, ne commettez pas l'erreur de traiter avec indifférence ou mépris ceux qui sont dans l'opposition. La loi des probabilités veut qu'ils soient un jour au pouvoir. Ils se souviendront alors de vous. En politique comme dans la vie en général, quand le vent tourne en notre faveur, nous nous souvenons toujours de ceux qui nous ont respectés et soutenus pendant les années de vaches maigres.

COMPRENDRE ET INFLUENCER LES GOUVERNEMENTS

Par ailleurs, si, dans votre région, les élus sont membres du parti d'opposition, ne vous imaginez pas qu'ils sont impuissants. Les administrations sont souvent très réceptives aux sollicitations pilotées par des
élus de l'opposition, car elles ne veulent pas que ceux-ci puissent se
servir d'une rebuffade pour les attaquer et marquer des points politiques. Bref, on traite souvent l'adversaire aux petits oignons.

9. Jouez la carte locale lorsque c'est possible.

Dans notre système politique, les députés qui ne sont pas ministres et
les conseillers municipaux qui, dans les grandes villes, ne sont pas
membres des comités exécutifs ne jouent pratiquement aucun rôle
(malheureusement) dans la détermination et l'élaboration des grandes
orientations des gouvernements. Exceptionnellement, il arrive que
certains aient une expertise particulière ou un statut de « vieux sage »
qui leur donne une influence accrue.

Ne les négligez pas. Ils veulent se rendre utiles. Ils parlent plus souvent
que vous à ceux qui prennent les décisions finales. Ils peuvent transmettre votre point de vue, organiser des rencontres, vous tenir informé des intentions du gouvernement. Il s'agit évidemment d'un travail
qui vient compléter et non remplacer celui que vous aurez fait, idéalement en amont et le plus tôt possible, dans le processus décisionnel.

Si votre problème est purement administratif et interpelle directement
les fonctionnaires, abordez en premier lieu le point d'entrée le plus
proche. Les dossiers sont presque toujours envoyés au palier hiérar-
chique dont ils relèvent. Règle générale, vous vous illusionnez si vous
pensez qu'en frappant directement à la porte d'en haut vous épargne-
rez du temps. Au contraire, vous en perdrez.

Si vos employés habitent en divers endroits du territoire, jouez la carte locale. De cette manière, vous les mobiliserez, et ils véhiculeront vos préoccupations auprès des élus locaux. Vous décuplerez ainsi les sources de diffusion de votre message.

10. Impliquez l'appareil administratif dès le départ.

Vous obtenez un rendez-vous avec un élu. Comme il désire générale-ment être réélu et comme il est sincèrement dévoué à son travail, il vous reçoit et se montre, généralement, ouvert et réceptif. Vous sortez de la rencontre enchanté. Bravo.

Dans les faits, qu'arrivera-t-il ? Cet élu se tournera vers l'unité admi-nistrative concernée et lui soumettra votre affaire, accompagnée sans doute de son point de vue. Les fonctionnaires examineront alors votre dossier à la lumière de sa conformité aux normes administratives, de sa faisabilité technique, de ses retombées en matière de coûts, etc. Sauf dans des cas rarissimes, l'intervention du palier administratif est inévi-table. Cherchez donc à l'impliquer dès le départ.

Choisir les bonnes cibles et les bons moments

Qui devriez-vous contacter au juste, et par où commencer ?

Le choix des cibles et l'ordre dans lequel vous les aborderez dépendent évidemment de vos objectifs et de votre stratégie.

Retenez néanmoins le principe selon lequel, au Canada et au Québec, la prédominance du pouvoir exécutif (ministres et hauts fonction-naires) sur le pouvoir législatif (députés) est telle qu'il convient, en règle générale, de prioriser le premier. C'est lui en effet qui détient le monopole des capacités d'initiative et de décision.

Si on se représente l'appareil d'État comme une pyramide, on peut grosso modo dégager **3 niveaux** d'intervention principaux selon le degré d'avancement d'un dossier :

‣ celui de la bureaucratie intermédiaire, là où s'amorce habituellement le travail préliminaire de collecte de l'information et de débroussaillage sur lequel reposeront les politiques publiques qui verront le jour par la suite ;

‣ celui des hauts fonctionnaires, là où sont déterminées les grandes orientations qui s'incarneront dans ces politiques ;

‣ celui des cabinets ministériels et du conseil des ministres, là où se font les derniers arbitrages et où se portent les jugements proprement politiques sur l'opportunité d'aller de l'avant ou non.

Généralement, l'initiative part du haut, descend aux étages intermédiaires pour y être mise en forme, puis remonte. Au passage, elle subit des changements plus ou moins profonds. La vitesse du processus varie selon le degré d'urgence.

Plus haut, je vous ai conseillé de ratisser large et de tisser des liens avec d'autres acteurs sociaux que les décideurs gouvernementaux. De ce point de vue, vous pouvez classer en deux grandes catégories les cibles que vous avez à convaincre : celles qui sont à l'intérieur de l'appareil politico-administratif et celles qui sont à l'extérieur de celui-ci.

L'ordre d'importance des cibles principales varie selon les circonstances. Au sein de l'appareil gouvernemental, ces cibles sont habituellement les suivantes :

‣ le ministre qui « pilote » le dossier ; il va rarement à l'encontre de la machine administrative et n'a pas nécessairement une connaissance fine du dossier ;

- ses conseillers politiques immédiats (directeur de cabinet, directeur adjoint, attachés politiques) ; fondamentalement, leur travail est de protéger leur patron ; leurs principales qualités doivent être la loyauté, le jugement et la capacité de lui donner l'heure juste ;

- le personnel politique du cabinet du premier ministre, dont le pouvoir est absolument prépondérant ; il surveille tout, mais n'intervient lourdement que si c'est absolument nécessaire ;

- les hauts fonctionnaires du ministère concerné : sous-ministre, sous-ministre associé, sous-ministre adjoint, directeurs, analystes spécialisés ; leur pouvoir repose sur leur quasi-monopole de l'information et sur leur capacité à filtrer ce qui remonte jusqu'en haut ;

- les hauts fonctionnaires des organes centraux du gouvernement (Conseil exécutif, Conseil privé à Ottawa, Conseil du trésor, ministère des Finances) ; leur pouvoir repose sur la vue d'ensemble qu'ils ont de l'appareil et sur leur quasi-droit de veto ;

- les députés de la majorité gouvernementale ; la priorité devrait ici aller aux adjoints parlementaires des ministres et aux présidents des commissions parlementaires ;

- les autres alliés à cultiver ou les opposants à neutraliser au sein de l'appareil, parce que les décisions importantes engagent généralement plus d'une instance gouvernementale et parce qu'il y a des nombreuses tensions et rivalités à l'interne.

Selon la position que ces acteurs occupent, leur vie est organisée suivant une combinaison d'agendas qui vous indiquent les bons endroits et les bons moments pour les rencontrer :

- un agenda parlementaire centré sur la Chambre des communes ou sur l'Assemblée nationale, composé de deux sessions (printemps et automne) et comprenant des réunions habituellement hebdomadaires (caucus des députés et conseil des ministres) ;

> un agenda budgétaire s'étendant d'un printemps donné au printemps suivant, dont les lieux névralgiques sont les entrailles du ministère des Finances et du Conseil du trésor ; il inclut des consultations entre ministères et avec des intervenants externes triés sur le volet, fait l'objet d'un dévoilement hypermédiatisé, et comprend des débats parlementaires et des mises en œuvre ;

> un agenda partisan qui ne marque une pause qu'en juillet et en août, axé sur la vie interne des partis, incluant des congrès d'orientation, des conseils généraux, des activités de collecte de fonds, des rencontres avec les militants du comté, la préparation des élections, etc. ;

> un agenda social qui n'arrête pour ainsi dire jamais, centré sur des activités qui assurent de la visibilité et du rayonnement : soupers-bénéfice, tournois de golf, 5 à 7, galas de fondations, inaugurations, lancements.

Comme l'élu a tout intérêt à être perçu comme une personne active et accessible, son entourage se fait habituellement un plaisir de vous dire où il est et comment vous pouvez le rencontrer.

Il est plus difficile de vous entretenir avec de hauts fonctionnaires hors de leurs lieux de travail courants, car ils n'ont pas l'obligation de visibilité des élus. Il arrive cependant qu'ils soient présents à des événements particulièrement importants, comme des remises de prix aux entrepreneurs méritants.

Les principales cibles extérieures à l'appareil politico-administratif sont habituellement les suivantes :

> d'autres entreprises ayant des intérêts qui convergent avec les vôtres ;

> des regroupements de gens d'affaires déjà constitués ;

> des journalistes ;

▸ des groupes œuvrant dans votre communauté ;

▸ des gens dont l'expertise est reconnue dans un domaine, comme des chercheurs universitaires ;

▸ les partis d'opposition ;

▸ toute autre association que vos intentions pourraient intéresser... ou inquiéter.

Les approches directes et indirectes

Le fait de véhiculer un message impose aussi de choisir les appuis sur lesquels vous le ferez reposer. On peut à cet égard distinguer deux grandes catégories d'approches selon les outils utilisés.

L'approche directe est celle qui mobilise tous les outils et toutes les procédures permettant de transmettre votre point de vue directement à la personne que vous espérez persuader.

Ce sont les rencontres informelles, les entretiens sur rendez-vous, la présentation de briefings formels, la transmission de documents, l'envoi de lettres, les conversations téléphoniques, etc. Cela n'appelle pas de commentaires particuliers.

J'entends par approches indirectes celles qui visent à donner plus de visibilité et de rayonnement aux idées et aux intérêts que vous défendez.

Elles reposent sur l'idée générale que, comme les décideurs sont toujours très sensibles à l'opinion publique, vous devez travailler à convaincre celle-ci de votre point de vue. Autrement dit, si vous vous représentez le décideur gouvernemental comme une bouilloire qui siffle quand l'eau parvient à la bonne température, il vous faut chauffer le rond de poêle qui est dessous.

On voit aisément que cela engage un temps, des moyens, une infrastructure et une énergie considérables, d'où l'importance déjà évoquée des regroupements de gens d'affaires qui ont pignon sur rue.

Les approches indirectes peuvent évidemment se combiner. Voici les plus courantes.

Les campagnes de publicité

Je donne ici deux exemples.

La prochaine fois que vous ferez le plein d'essence, jetez un coup d'œil au petit autocollant apposé sur la pompe, qui représente une tarte découpée en pointes correspondant à des pourcentages. Il vous montre que le profit des pétrolières est minime et qu'une bonne part du prix que vous payez est constitué de taxes prélevées par les gouvernements. Le message des pétrolières est : « Quand le prix à la pompe augmente, dites-vous que nous ne sommes pas les plus voraces ! »

Deuxième exemple : ceux qui ont plus de 40 ans se rappellent sûrement la fin des années 80. La campagne électorale fédérale de 1988 a été menée sur le thème du libre-échange canado-américain. Dans le camp qui appuyait l'entente : les conservateurs de Brian Mulroney, les milieux d'affaires, la majorité des économistes, etc. Dans le camp des opposants : les libéraux fédéraux, le NPD, le monde syndical, les groupes sociaux, etc.

Les opposants ont démarré en force et ont marqué les premiers. Des dizaines d'associations de gens d'affaires se sont alors regroupées en une vaste coalition qui a financé une campagne de publicité de grande ampleur en faveur de l'entente de libre-échange. Cette initiative a joué un rôle décisif dans la suite des choses.

Évidemment, le coût des campagnes publicitaires est si prohibitif que la plupart se limitent aujourd'hui à la presse écrite, souvent locale, et à la radio, nettement moins onéreuse que la télévision.

L'utilisation des sondages

Les partis politiques sondent continuellement la population. Oui, on gouverne par sondages, si on entend par là que les gouvernements aiment en tout temps savoir où en est l'opinion publique. Non, on ne gouverne pas par sondages, si on entend par là que les gouvernements vont systématiquement dans le sens de l'opinion majoritaire.

Il n'y a aucune raison pour que cet outil soit réservé aux partis politiques. Du point de vue de l'entreprise, les résultats d'un sondage peuvent servir à montrer aux décideurs gouvernementaux que l'opinion publique pense comme elle et qu'ils auraient donc intérêt à en tenir compte. Évidemment, l'opération ne vaut que si elle est crédible.

Le soutien à des chercheurs sympathiques à vos vues

Ces dernières années, des centres de recherche comme l'Institut économique de Montréal ou l'Institut Fraser ont été particulièrement présents sur la scène publique. Ouvertement financés par l'entreprise privée, ils emploient des professionnels de la recherche ou leur octroient des contrats. Il s'agit souvent d'universitaires qui produisent des études dont les conclusions vont évidemment dans le sens des intérêts de ceux qui les financent.

On aurait tort de porter un jugement global et catégorique sur cette pratique. La question infiniment complexe des rapports entre les chercheurs scientifiques et ceux qui les paient se pose pour l'ensemble du monde universitaire, y compris pour les études qui sont financées par les fonds publics. Il faut juger chacune de ces recherches sur pièce. Il n'en reste pas moins que, dans le débat public, elles fournissent une ossature intellectuelle et des arguments aux partisans de l'économie de marché.

Le financement des partis politiques

Il ne s'agit pas ici d'influencer l'opinion publique, mais – ne soyons pas naïfs – de lubrifier en quelque sorte les rapports entre gens d'affaires et élus dans l'espoir de retombées positives pour les premiers. Est-ce efficace ? Tout dépend des attentes.

Les partis politiques ont de plus en plus besoin d'argent, notamment parce que le coût des opérations publicitaires qui sont au cœur des campagnes électorales grimpe en flèche depuis des années. Les activités de collecte de fonds accaparent une beaucoup plus grande part du temps et de l'énergie des militants des partis que les débats d'idées.

D'un côté, dites-vous que, si le financement des partis politiques était un gaspillage d'argent, ceux qui ont l'habitude de contribuer auraient cessé de le faire depuis longtemps. Même si les hommes politiques s'évertuent à prétendre le contraire, les contributions substantielles facilitent les retours d'appels et l'obtention de rendez-vous. Comme le notait un cynique, les politiciens écoutent toujours, mais ils entendent mieux quand un don accompagne le message.

D'un autre côté, les lois québécoise et canadienne imposent des plafonds de contribution relativement bas, limités à 3 000 $ par année par individu au Québec, à 1 100 $ au palier fédéral et à 1 000 $ sur la scène municipale. À ce prix-là, il ne faut pas s'attendre à ce qu'un don suffise à faire triompher un dossier qui ne tient pas debout ou qui est absolument indéfendable sur le plan politique. Nos lois prévoient par ailleurs que seuls les individus (et non les entités corporatives) peuvent financer les partis politiques.

Voilà pour la théorie. Dans la pratique, il est malheureusement clair que ces lois sont fréquemment contournées. Le principal tour de passe-passe est maintenant bien connu : une entreprise qui veut donner 20 000 $ trouve 20 employés qui « donnent » chacun 1 000 $, puis elle les rembourse. L'esprit de la loi est complètement bafoué. Il est pratiquement certain que ces lois seront appelées à être changées. La situation est particulièrement nébuleuse dans le monde municipal.

Il y a certes une place légitime pour les contributions issues du secteur privé. L'existence de partis politiques est une expression concrète de la vie démocratique, et la démocratie ne vit pas que d'air pur. Si les dons volontaires n'existaient pas, les partis seraient financés par l'intermédiaire de l'impôt, ce qui enlèverait aux gens la possibilité de verser des montants à la formation de leur choix.

Une chose est sûre : toute pratique frauduleuse de votre part risque de vous faire un tort considérable. Que d'autres s'y livrent n'est évidemment pas un argument recevable.

La sensibilisation des journalistes

Les gens d'affaires se méfient presque autant des journalistes que des politiciens. Ils sortent fréquemment meurtris de leurs contacts avec eux ou déçus de la couverture médiatique qu'ils ont reçue. Ils ont toutes les misères du monde à comprendre que les journalistes ne sont pas des relationnistes à leur emploi, mais des professionnels indépendants dont le métier est de trouver et de diffuser de l'information jugée d'intérêt public. Beaucoup de gens du milieu des affaires pensent aussi que les journalistes, sauf ceux qui sont spécialisés dans les questions économiques, ont un biais anti-entreprise privée, ce qui n'est pas entièrement faux.

Il reste que, jusqu'à un certain point et sous certaines conditions, les journalistes peuvent contribuer à faire connaître votre existence, vos projets et vos points de vue. Les médias en général exercent une influence certaine sur l'opinion publique et, par le fait même, sur l'attitude des gouvernements.

Vous ne surestimerez d'ailleurs jamais l'importance que les politiciens accordent aux médias. La journée d'un ministre, d'un député, d'un haut fonctionnaire commence invariablement par la revue de l'actualité. Des jours entiers peuvent être consacrés à réagir à un titre de journal ou à une rumeur véhiculée par un *morning man* de la radio.

La question des médias est si cruciale et complexe qu'elle mérite quelques mots de plus.

Du bon usage des médias

L'immense majorité des erreurs commises par les gens d'affaires dans leurs rapports avec les journalistes découle de deux causes liées entre elles. Premièrement, ils comprennent mal la nature du travail journalistique et de l'univers médiatique. Deuxièmement, ils se lancent dans cette arène sans avoir pris des précautions élémentaires.

À cet égard, je ne recommanderai jamais assez la lecture de l'excellent ouvrage de Bernard Motulsky et René Vézina[24], qui est rempli de judicieux conseils pratiques. Il est par ailleurs très important de pouvoir compter sur quelqu'un de votre entourage qui vous guidera dans ce milieu s'apparentant souvent à un champ de mines pour le néophyte.

Allons à l'essentiel. Les gens d'affaires ont de la peine à comprendre à propos des médias une réalité de base qui a un impact souvent déterminant sur la façon dont ils seront traités par les journalistes.

Cette réalité fondamentale est qu'un journal, un poste de radio, une chaîne de télévision sont eux-mêmes des entreprises commerciales avec un impératif de rentabilité. Certes, le journaliste considère que sa mission première est d'informer impartialement la population. Ce journaliste est cependant un employé d'une organisation dont les patrons se soucieront davantage du nombre de copies vendues, des cotes d'écoute, des parts de marché, etc.

Ramenée à sa plus simple expression, l'équation est brutale. La première source de revenus des médias est généralement constituée des montants que la publicité rapporte. Les annonceurs achètent de la visibilité. Plus le média avec lequel ils font affaire leur offre des parts de marché considérables, plus ils sont prêts à payer cher.

La pression est donc extrêmement forte sur chaque média pour conserver et/ou accroître sa part de marché. Voilà le *bottom line*. Or, ce qui est divertissant, spectaculaire, dramatique, sensationnaliste ou controversé se vend, en règle générale, mieux que ce qui est sobre, sérieux et complexe, même si c'est objectivement moins important. Je schématise bien sûr, mais vous comprenez l'idée générale.

Il s'ensuit deux conséquences pour vous.

Premièrement, si ce que vous avez à dire est ennuyeux, compliqué, obscur, si ça manque de sex-appeal médiatique, vous n'aurez pas le degré de couverture que vous espériez. Vous serez, selon toute vraisemblance, largement ignoré, même si vous pensez que votre message est important.

En effet, en plus d'être des entreprises commerciales, les médias agissent comme un filtre. Il y a en circulation infiniment plus d'histoires à couvrir que de nouvelles qui seront retenues pour diffusion. Pour que votre message soit sélectionné, il faut qu'il soit jugé important du point de vue des médias et selon leurs critères.

Deuxièmement, si le journaliste daigne s'intéresser à vous, il ne se concentrera pas seulement sur ce que vous voulez. Il cherchera aussi à mettre en lumière les aspects de vos activités qui intéresseront son public. Ceux-ci ne seront pas nécessairement ceux que vous auriez souhaités.

Après toutes ces années, je reste renversé de voir la difficulté qu'ont les gens d'affaires à comprendre un point fondamental : un journaliste n'est pas un relationniste à leur emploi, chargé de veiller à leur image et à leurs intérêts. Il n'est pas à leur service, mais à celui de ses patrons et de la conception qu'il se fait de son métier.

Autrement dit, le fait de maîtriser votre message – ce que vous devez impérativement faire – ne garantit pas que vous réussirez à maîtriser le journaliste. La découverte d'excréments de souris dans une de vos boîtes de biscuits est infiniment plus spectaculaire, médiatiquement parlant, que le lancement d'un produit ou l'embauche d'étudiants pour des emplois d'été.

Le journaliste est un être humain comme vous et moi. Vous trouverez donc, au sein de cette profession, la même diversité de tempéraments et d'attitudes que dans tout autre groupe. Vous y découvrirez ni plus ni moins d'intégrité, d'honnêteté, de bonne foi, que dans le milieu des affaires.

Si, par inadvertance, vous offrez à un journaliste une occasion de marquer des points, il la saisira au nom du droit de la population à savoir ce qui est d'intérêt public. Cependant, qu'est-ce que l'intérêt public ? Il n'y a aucun consensus à ce sujet. Dans vos rapports avec lui, le journaliste tiendra aussi pour acquis que vous connaissez les règles du jeu. Tant pis pour vous si vous ne les maîtrisez pas.

Comme vous ne pouvez pas prétendre que les journalistes n'existent pas, retenez les 5 **recommandations** qui suivent :

1. Concevez votre relation avec les journalistes comme un rapport de collaboration et de coopération réciproque.

Vous avez besoin d'eux et, jusqu'à un certain point, ils ont besoin de vous. Traitez-les avec le respect et la considération dont vous souhaitez être vous-même l'objet. Informez-les, facilitez leur travail, ne cherchez pas à les manipuler... mais ne soyez pas angélique. Ne baissez en aucun temps la garde. Ne commettez jamais l'erreur de parler de vos secrets d'entreprise à un journaliste en pensant qu'il est maintenant votre ami.

2. Acceptez pleinement qu'une relation de respect mutuel prend du temps et des efforts pour se construire.

Ce qui vaut pour les décideurs gouvernementaux vaut pour les journalistes. Une relation solide ne se bâtit pas en un jour. Allez vers eux. Ils sont en perpétuelle recherche d'information. Ils ont des pages à remplir et des délais à respecter. Si vous leur communiquez des renseignements qu'ils jugent intéressants, ils les prendront. Si ce n'est pas le cas, vous aurez au moins établi un début de relation.

3. Choisissez le média selon la nature de votre message.

Chaque média a ses caractéristiques propres. La télévision est le plus puissant pour véhiculer ce qui est spectaculaire et émotif, mais elle convient moins à la diffusion de données techniques complexes, difficiles à traduire en images. La presse écrite permet de fournir davantage d'explications et de nuances, mais sa force de pénétration dans les foyers est beaucoup moins grande. La radio est un média souple et intimiste, mais on l'écoute souvent d'une oreille distraite. Internet est une jungle dans laquelle se côtoient l'écrit et l'image, le meilleur et le pire, l'information la plus sérieuse et les élucubrations les plus farfelues.

4. Ne vous servez pas des médias pour attaquer le gouvernement, sauf si…

… c'est votre unique et dernier recours. Toute règle a ses exceptions mais, fondamentalement, qui aime être durement pris à partie dans le journal du matin ou au téléjournal du soir, alors qu'un coup de téléphone ou une rencontre discrète aurait permis une meilleure compréhension mutuelle? Auriez-vous envie d'aider une personne qui vous aurait fait cela?

Donc, servez-vous des médias pour faire connaître votre existence, votre situation, vos attentes, vos inquiétudes, mais ne les employez pas pour attaquer un individu. Vous ne devriez recourir à cette tactique que lorsque vous avez épuisé toutes les autres options. On emprunte la voie militaire après tarissement des chemins diplomatiques.

5. N'improvisez pas

Le monde médiatique est complexe, fait de règles formelles et informelles, et de multiples pelures de banane. Ne vous imaginez pas que les qualités qui vous servent bien en affaires – audace, esprit d'initiative, confiance en soi – se transposeront automatiquement dans l'arène médiatique et qu'elles y garantiront votre réussite.

Si cet univers ne vous est pas familier, demandez conseil, faites-vous aider, prenez le temps qu'il faut. Une mauvaise expérience risque de vous causer un tort durable, mais un usage réfléchi et judicieux de la carte médiatique peut beaucoup vous aider.

Soyez convaincant

Nous n'avons pas encore tout à fait fini. Des objectifs clairs, une organisation efficiente et un travail systématique de diffusion de votre message pourraient ne pas donner les résultats attendus si ce dernier n'est pas construit de la manière la plus persuasive possible. Les mérites intrinsèques de votre position ne suffisent pas. Il vous faut savoir la présenter.

Pensez à un avocat qui plaide devant un jury. Normalement, il ne ment pas, n'induit personne en erreur et ne nie pas les faits établis. Cependant, selon l'appréciation qu'il se fait de l'auditoire qu'il cherche à convaincre, il utilise un ton, un angle, un choix de mots, des arguments, des exemples, des images qui visent à présenter la position de son client sous son jour le plus favorable.

Il ne se contente pas d'énumérer ses arguments en vrac ; il les organise, tant sur le fond que sur la forme, en une plaidoirie construite en fonction de ceux à qui elle est destinée. Ce qui compte n'est pas tant de savoir si lui se trouve persuasif, mais de savoir si ceux qui l'écoutent le trouvent convaincant.

Pensez-y : vous faites cela tous les jours. Quand vous devez convaincre votre conjoint qu'il faut rénover la cuisine (ou repousser les travaux d'un an), changer l'auto ou annuler vos projets de vacances, vous organisez et livrez vos propos selon la lecture que vous faites de sa situation et de son état d'esprit. C'est la même chose lorsque vous entreprenez de persuader vos employés que des changements douloureux mais nécessaires sont requis dans votre organisation.

Fondamentalement, l'importance du choix d'une stratégie rhétorique A plutôt que B ou C tient à un fait depuis longtemps établi : le destinataire d'un message est sensible non seulement à ce qui lui est dit, mais aussi à la manière dont cela lui est dit.

Évaluez bien votre vis-à-vis

La clé, ici, est d'avoir une compréhension aussi fine que possible de la personne que vous cherchez à persuader.

Les êtres humains ne sont pas des pages blanches sur lesquelles vous pouvez inscrire ce que vous voulez. Ils ne sont pas non plus faits d'une pâte à modeler à laquelle vous pourriez donner la forme de votre choix. Si c'était le cas, toutes les campagnes de publicité seraient des réussites et tous les produits trouveraient des acheteurs.

Chaque être humain est un concentré d'intérêts, de valeurs, de motivations, d'émotions, de pulsions, d'expériences, de cordes sensibles qui le rendent assez semblable à son voisin, mais aussi absolument unique. Pour maximiser vos chances de persuader votre interlocuteur, vous devez essayer d'éclairer tout cela au mieux, avec les moyens et le temps dont vous disposez.

À ce chapitre, on distingue habituellement trois niveaux d'analyse : celui des **intérêts d'une personne,** celui de **ses motivations** et celui de ses **schèmes mentaux.** Vous devez analyser chacun d'entre eux. Le fait de vous poser quelques questions bien précises devrait vous y aider[25].

Les intérêts, ce sont tout simplement les buts concrets qu'une personne veut atteindre. Mettez-vous à la place de votre vis-à-vis. Étudiez ses déclarations récentes et moins récentes, ses gestes passés, son parcours. Parlez à des gens qui le connaissent. Quels objectifs poursuit-il ? La réélection ? L'accession au conseil des ministres ? La plus grande tranquillité possible ?

Posez-vous les **3 questions** suivantes :

- *Quelles positions cette personne a-t-elle prises dans le passé ou pourrait-elle prendre dans l'avenir par rapport à ce qui me préoccupe ?*

Il est crucial de savoir si l'individu en question a déjà pris position, plus ou moins ouvertement, pour ou contre ce que vous demandez. S'il s'est prononcé contre, il se contredirait en vous aidant. S'il s'est prononcé pour, vous lui demandez de continuer à ramer dans la même direction que vous.

- *Quels intérêts sont à la base de ces prises de position ?*

Vous ne pouvez pas agir sur ce que vous ne connaissez pas.

- *Ma demande peut-elle être formulée d'une manière qui satisfait à la fois ses intérêts et les miens ?*

C'est ce qu'on appelle couramment une proposition gagnant-gagnant.

Cela nous amène au deuxième niveau d'analyse.

Les intérêts qu'une personne poursuit ne sont pas obligatoirement le résultat d'un processus rationnel de sa part. Deux individus qui sont dans la même situation ne se donnent pas nécessairement les mêmes buts.

Chaque personne a ses motivations psychologiques propres, dont elle est plus ou moins consciente. Celles-ci affectent sa perception de ce que sont ses intérêts. Les motivations les plus courantes sont : le besoin de maîtriser la situation, le besoin d'être aimé, le besoin de dominer les autres, celui de projeter une certaine image de soi et celui de maintenir sa réputation.

Ici encore, tentez de répondre aux **3 questions** suivantes au mieux de vos connaissances :

▸ *Qu'est-ce qui semble préoccuper le plus mon interlocuteur ? Être aimé ? Accroître son pouvoir ? Protéger sa réputation ? Fuir la controverse ? Maîtriser la situation ?*

▸ *Dès lors, perçoit-il ma demande comme venant renforcer ses motivations psychologiques fondamentales ou, au contraire, comme venant les menacer ?*

▸ *En fonction de ce qui précède et si la chose est possible, comment devrais-je formuler ma demande de façon à ce qu'elle aille dans le sens d'un renforcement des motivations de cette personne ou, à tout le moins, qu'elle ne la perçoive pas comme une attaque contre celles-ci ?*

Supposons que votre interlocuteur attache une grande importance à sa réputation d'homme rigoureux et cohérent.

Si vous devez lui demander une chose contraire à ce qu'il a dit publiquement, il vous faut l'aider à trouver une façon honorable et plausible de justifier son changement de cap et le soutenir pendant ce moment difficile. Par exemple, vous pourriez lui fournir des arguments et le défendre. Donnez-lui les exemples qui lui permettront d'illustrer que la situation dans votre secteur n'est plus du tout ce qu'elle était au moment où il s'est commis.

Enfin, au troisième niveau, on trouve les schèmes mentaux, qui renvoient à la façon de penser et de voir le monde de chaque personne.

C'est en quelque sorte la paire de lunettes à travers laquelle nous voyons le réel et notre place dans celui-ci. Chacun de nous a la sienne. Ces schèmes mentaux nous aident à comprendre et à interpréter ce qui nous arrive, et donc à savoir comment réagir. Ils sont issus de nos expériences passées, de ce qui nous a marqués, de l'éducation que nous avons reçue, de nos valeurs et de nos croyances[26]. Si nous n'en avions pas, nous aborderions chaque situation comme un enfant qui la vit pour la première fois.

Par exemple, les gens qui ont connu la guerre, qui ont vécu la crise économique des années 30, qui ont tout perdu – ou ceux qui, au contraire, n'ont jamais eu à lutter et s'imaginent que tout leur est dû – interprètent la réalité à l'aide d'une grille d'analyse fortement conditionnée par tout cela. Ils n'en sont pas toujours pleinement conscients.

Les schèmes mentaux sont en fait si profondément incrustés en nous que nous avons tendance à chasser de notre esprit les informations qui viennent les contredire et à nous cramponner à la partie de la réalité qui les renforce. C'est notamment ce qui explique pourquoi tant de gens refusent d'admettre des vérités pourtant établies scientifiquement : elles viennent bousculer la représentation qu'ils se font de la réalité, et ce bouleversement est insécurisant.

Pour cerner cette partie souterraine de la personnalité de votre inter-locuteur, demandez-vous :

▸ *Quelles expériences passées ont forgé sa vision du monde ?*

▸ *Quels exemples, quelles images, quels arguments risque-t-il de trouver persuasifs ou, inversement, qu'est-ce qui ne doit pas du tout être évoqué parce que cela raviverait de mauvais souvenirs ?*

Vous comprenez l'idée générale : dans ce que vous dites et dans la manière dont vous le dites, vous devez tenir compte des façons de pen-ser, d'être, de sentir et de réagir de celui que vous espérez persuader.

Pourquoi pensez-vous, par exemple, que les publicités de cigarettes sont construites autour de personnages projetant une image d'audace, de liberté, d'indépendance, de détermination, voire de virilité[27] ?

Quelques conseils sur le choix des mots

Ce qui précède devrait déjà vous aider à trouver comment dire les choses. Tenez également compte de ce qui suit :

1. Rappelez à votre interlocuteur ses propres paroles.

Vous serez particulièrement convaincant si vos objectifs offrent aussi à votre vis-à-vis une occasion d'avancer les siens. Ne vous inquiétez pas outre mesure à ce sujet : votre interlocuteur, qui n'est pas idiot, comprendra habituellement assez vite s'il y a une quelconque oppor-tunité pour lui dans votre demande.

Une des façons classiques de lui permettre de voir cela très clairement est d'utiliser ses propres mots. La plupart des gens sont en effet sou-cieux de maintenir un certain degré de cohérence entre ce qu'ils disent et ce qu'ils font, ou, à tout le moins, de ne pas trop s'exposer à l'accusation de dire une chose et de faire le contraire.

Dans la mesure du possible, vous devez donc recenser ses déclarations passées dans les médias, ses engagements électoraux, les articles ou livres publiés, les discours du Trône, les discours du Budget du gouvernement de cet élu ou pour lequel ce fonctionnaire travaille. Vous y trouverez des énoncés d'intentions, de priorités, de préoccupations auxquels vous pourrez venir vous raccrocher.

Montrez-les-lui. Il verra alors que vous êtes sensible à sa situation et disposé à en tenir compte, mais aussi que vous êtes sérieux, que vous avez fait vos devoirs...et qu'on ne peut pas vous raconter n'importe quoi.

2. Quand vous tranchez, vous êtes moins rationnel que vous le pensez.

Quand votre interlocuteur réagit à votre position, il se demande quels gains il peut en tirer et quels risques il court. Vous aussi, vous avez préalablement fait une analyse coûts-bénéfices à partir de votre propre situation.

Ces évaluations ne sont jamais parfaitement objectives. On aurait tort de les voir comme si l'être humain plaçait froidement et rationnellement les avantages et les désavantages dans chacun des deux plateaux d'une balance.

Le psychologue Bazerman[28] a noté que la grande majorité des individus accorde plus d'importance aux pertes qu'aux gains de taille équivalente. Autrement dit, si une décision peut faire perdre 1 000 $ à une personne ou lui en faire gagner 1 000, elle choisira probablement l'option conservatrice : elle gardera ce qu'elle a plutôt que de risquer de le perdre. Les vrais *gamblers*, ceux qui aiment réellement faire du trapèze sans filet, sont relativement rares. Devant le risque, nous sommes, pour la plupart, naturellement conservateurs.

Cela s'explique par le fait que la perte est ressentie de façon immédiate et concrète, alors que le gain est perçu comme hypothétique et lointain. C'est pour cela que nos gouvernements, aux prises avec de graves problèmes financiers, ont tant de mal à convaincre les citoyens d'accepter de faire des sacrifices immédiats en échange de gains qu'ils ne verront pas avant quelques années ou dont ne profiteront que les générations futures.

Pour que les gens choisissent de prendre un risque, pour qu'ils surmontent leur biais en faveur de l'option conservatrice, il faut généralement que la perspective du gain soit significativement plus alléchante que celle de la perte. Les concepteurs de jeux de loterie l'ont bien compris.

Voilà pourquoi vous aurez tout intérêt, dans votre effort de persuasion, à minimiser les coûts de ce que vous proposez et à maximiser les bienfaits qui en résulteront… tant que cela reste crédible évidemment.

Les bienfaits devront aussi être présentés individuellement, un à un, alors que les coûts devront être présentés globalement. Vous ferez l'inverse si votre objectif est de bloquer une initiative néfaste pour vous : vous traiterez en bloc ses bienfaits présumés et vous détaillerez chacune des conséquences négatives pour vous.

3. Répondez d'avance aux principales objections.

Parce que l'immense majorité des gens sont peu portés à courir des risques, votre interlocuteur cherchera d'abord quels sont les pièges pour lui dans ce que vous demandez, plutôt que les points qu'il pourrait marquer en tentant sa chance.

Bref, il sera plus sensible aux failles de votre position qu'aux possibilités qu'elle offre. Il formulera plus spontanément des objections que des arguments de renforcement.

Vous devez donc prévoir toutes les objections potentielles. Quand vous préparerez votre présentation, répliquez d'avance aux plus importantes, mais soyez également prêt à répondre à toutes les autres objections envisageables, y compris celles qui vous semblent frivoles.

Si, par exemple, votre produit pollue, soulève des questions de santé publique significatives ou élimine des emplois, tenez pour acquis que ces objections seront omniprésentes dans la tête de votre vis-à-vis. Attrapez le taureau par les cornes : honnêtement, sérieusement, sans triturer la réalité, abordez ces questions le premier.

4. Utilisez des images fortes, des exemples frappants, des mots simples.

L'interlocuteur que vous espérez convaincre a peu de temps à vous consacrer. Sa tête est pleine de soucis. À toutes fins utiles, il rencontre seulement des gens qui lui demandent bien plus qu'ils n'offrent. Par ailleurs, il n'est probablement pas un expert du sujet qui vous préoccupe.

Allez à l'essentiel. Restez simple. Évitez le jargon, à moins que la personne soit une spécialiste de la question et que vous vouliez établir une complicité axée sur votre expertise partagée. Évoquez des images fortes et des exemples frappants. Recourez à des formules qui, sans trop ressembler à des slogans appris par cœur, resteront dans la mémoire de votre vis-à-vis après votre départ.

Pour cela, il faut que vous ayez répété, ajusté, retouché et répété encore votre présentation, dans votre tête et devant des proches, jusqu'à ce que vous soyez à l'aise.

5. Choisissez le bon porteur de ballon.

Ce n'est pas nécessairement vous qui prendrez la parole au nom de votre organisation. Est-ce que ce devrait être le vice-président aux affaires publiques ? Le P.D.G. ? Il n'y a pas de réponse unique à cette question.

Si le patron, basé à Toronto, vient au Québec pour l'occasion, mais parle peu ou pas le français, il pourrait vous nuire. Cependant, sa présence montrera l'importance que l'entreprise accorde à la rencontre. Le vice-président aux affaires publiques est généralement un habitué des exposés oraux, mais votre interlocuteur se demandera peut-être quel est son poids réel dans l'entreprise. Dans quelle mesure son message engage-t-il pleinement la haute direction ?

Qui sait, votre porte-parole le plus éloquent pourrait être un jeune homme ou une jeune femme situé à un échelon plus bas de la hiérarchie corporative. Toutefois, il ne faut pas que ce degré soit trop bas : l'interlocuteur risquerait de se demander quelle importance l'entreprise accorde vraiment à la question.

Une chose est certaine : un porte-parole crédible renforcera votre message, mais un mauvais porte-parole le contaminera.

Évidemment, l'important n'est pas de savoir si vous trouvez que votre message et votre porte-parole sont bons, mais de savoir ce qu'en pensera votre interlocuteur. Cela nous ramène à un point déjà évoqué : tout, absolument tout, depuis la détermination des objectifs jusqu'à la sélection du porte-parole, en passant par le choix des mots, doit être fait en vous mettant continuellement à la place de celui que vous cherchez à convaincre.

Les clés d'une rencontre réussie

Bon, vous avez un rendez-vous. Vous savez quoi dire, comment le dire et qui va le dire. Voici **6 conseils** pratiques pour que la rencontre se passe le mieux possible.

1. Ne prenez pas trop de temps.

Dès le début de la rencontre, demandez de combien de temps vous disposez. Idéalement, vous aurez convenu de cela au moment de la prise du rendez-vous. À tout prendre, il vaut mieux attendre quelques jours et vous assurer que vous avez le temps requis… que de rencontrer une personne qui regarde discrètement l'horloge au mur et qui montre des signes d'impatience évidents.

Assurez-vous que vous êtes capable de livrer l'essentiel de votre message dans le temps alloué. N'étirez pas les présentations et le préambule. Entrez rapidement dans le vif du sujet. Le temps est la ressource la plus précieuse de la personne qui est devant vous. Si vous êtes plusieurs, déterminez à l'avance qui dira quoi, dans quel ordre et combien de temps chacun prendra.

2. Rien ne doit vous prendre au dépourvu.

Avant la rencontre, préparez des réponses respectueuses à toutes les questions et à toutes les objections possibles, même à celles qui vous paraissent impertinentes ou saugrenues. Aucun propos ne doit vous prendre par surprise. Si cela arrive, il est préférable de dire que vous chercherez la réponse et que vous la communiquerez dans les meilleurs délais plutôt que d'improviser une bêtise.

3. Heure juste et cartes sur table… toujours

Si vous n'êtes pas sûr du degré de connaissance que la personne a du sujet, établissez-le d'entrée de jeu, afin de ne pas perdre de temps en lui disant ce qu'elle sait déjà. Expliquez-lui aussi pourquoi vous souhaitiez la rencontrer, elle.

Pour éviter toute confusion, précisez aussi qui vous avez déja rencontré et qui vous projetez de rencontrer. Votre interlocuteur risque de s'investir davantage dans votre affaire si vous ne l'avez pas déjà soumise à 17 de ses collègues. Si vous vous êtes entretenu avec d'autres personnes, dites-lui comment elles ont réagi… à moins que celles-ci ne vous l'aient expressément interdit. Vous avez tout intérêt à être transparent.

4. Les deux mains sur le volant

Dans la mesure du possible, prenez et gardez l'initiative de la discussion. Les points doivent idéalement être abordés dans l'ordre et au rythme que vous souhaitez. Expliquez exactement à votre interlocuteur ce que vous attendez de lui et pourquoi. Proposez des pistes de solution. Vous ne devez en aucun temps vous contenter de vous plaindre.

Votre propos doit être accompagné d'un matériel écrit et/ou visuel approprié, dont vous laisserez des exemplaires en partant. La qualité de ce matériel doit être irréprochable. Quand on voyage dans un pays inconnu et qu'on découvre une erreur sur une carte routière, c'est toute la carte qui devient suspecte. Pareillement, une fausseté manifeste ou une statistique erronée entachera toute votre documentation… et donc tout votre message.

Assurez-vous par ailleurs qu'un de vos collaborateurs prend des notes pendant la réunion. Il ne faut pas qu'il puisse y avoir de divergences d'interprétation à propos de ce qui s'est dit et de ce qui a été convenu.

5. Comportez-vous comme il faut.

Quelle que soit la tournure que prend la conversation, ne perdez jamais votre calme et votre courtoisie. En tout temps, restez pondéré et mesuré. La modération est généralement l'attitude la plus crédible. N'exagérez pas les retombées possibles d'une réponse positive ou négative à votre requête.

Il n'est pas interdit de vous dire déçu ou d'exprimer vos inquiétudes quant à l'avenir. Cependant, ne recourez en aucun cas aux menaces voilées, aux accusations ou aux procès d'intention. Mettez-vous à la place de l'autre : pensez-vous qu'il aura envie de vous venir en aide si vous vous comportez ainsi ?

Lorsque j'étais ministre, un très haut dirigeant d'une entreprise fort connue est venu me voir pour se plaindre de ce que son principal rival remportait tous les appels d'offres émis par le gouvernement dans son secteur. D'une manière absolument dépourvue de subtilité, il laissa lourdement entendre que les fonctionnaires dont j'étais le responsable politique étaient de mèche avec son concurrent. C'était une accusation grave. Pas l'ombre du début de la queue d'une preuve, et un ton fort désagréable en prime.

Une très brève rencontre... qui ne fit pas avancer ses intérêts d'un millimètre.

Enfin, même s'il y a crise dans votre entreprise ou votre industrie, n'arrivez pas accompagné d'une armée de gens énervés, qu'on ne saura pas où asseoir, qui risquent de tous parler en même temps et qui feront monter la tension. Laissez les occupations de bureaux aux associations étudiantes.

6. Entendez-vous sur la suite des choses.

Établissez clairement les prochaines étapes : qui fera quoi, quand, qui seront les personnes en charge, etc. Envoyez une retranscription des notes prises pour être certain que les deux parties sont sur la même longueur d'onde.

Si le tout se termine comme vous le souhaitez ou si vous obtenez une partie de ce que vous vouliez, remerciez la personne, faites savoir autour de vous qu'elle vous a aidé et retournez-lui l'ascenseur avant qu'elle vous le demande. Si vous sortez déçu, restez bon joueur. C'est préférable sur le long terme.

Quoi qu'il arrive, modestie dans la victoire et bonne grâce dans la défaite. Il y aura, forcément, une prochaine fois.

Conclusion

Un dernier mot avant de vous laisser travailler.

Un des plus fins connaisseurs des cordes sensibles des Québécois et des Canadiens, le sondeur Jean-Marc Léger, aime raconter la petite histoire qui suit.

Chaque matin, dans la savane africaine, se réveillent des lions et des gazelles. Chaque gazelle sait que, si elle ne veut pas être dévorée, elle devra courir plus vite que le plus rapide des lions. Chaque lion sait que, s'il veut manger ce jour-là, il devra courir plus vite que la plus lente des gazelles.

Morale de cette histoire : quand vous vous levez le matin, que vous soyez lion ou gazelle, courez !

En d'autres termes, si j'ai été le moindrement clair dans les pages précédentes, vous ne devriez pas avoir de mal à vous souvenir de l'essence de mon propos.

Intéressez-vous intensément à l'actualité politique et sociale. N'attendez pas au dernier moment. Faites-vous un plan. Ne demandez jamais la lune. Comprenez et respectez les points de vue des autres. Ne considérez pas l'arène politique ou la fonction publique avec dédain.

Acceptez que les préoccupations électoralistes d'un politicien, la prudence d'un fonctionnaire, les objectifs sociaux d'un militant écologiste sont aussi légitimes et respectables que vos intérêts. Dans la mesure du possible, essayez d'accommoder ces gens. Cédez sur des points de détail si cela vous fait avancer sur l'essentiel. Trouvez-vous des alliés. Connaissez parfaitement toutes les dimensions du dossier. Pensez à long terme.

Du point de vue de celui qui accueillera votre représentation, un « bon » dossier doit être politiquement avantageux, défendable devant l'opinion publique et conforme aux normes administratives en vigueur.

Concrètement, cela signifie que le meilleur travail de réseautage, les « contacts » les plus solides ne suffiront généralement pas pour faire triompher une position dépourvue de mérites et contraire aux convictions et aux intérêts du gouvernement en place. Les relations ont leurs limites. L'argent peut, jusqu'à un certain point, acheter l'accès, mais pas automatiquement l'influence. Et c'est tant mieux, non ?

Quand votre vis-à-vis veut être réélu, vous disposez d'un levier si la manière dont il vous traite risque d'avoir un impact sur un nombre considérable de personnes. Cet atout est beaucoup moins décisif devant un fonctionnaire : dans ce cas, c'est sur votre sérieux, votre professionnalisme et votre intégrité que l'essentiel se joue.

En définitive, vos rapports avec le gouvernement seront largement le reflet de ceux que vous entretiendrez avec le reste de la société : si vous avez des relations houleuses et perpétuellement tendues avec les syndicats, les consommateurs, les médias, les groupes sociaux, ne vous attendez pas à ce que les décideurs gouvernementaux se précipitent pour vous aider.

Dans tous les cas de figure, la crédibilité est votre carte la plus précieuse. Il faut du temps pour la construire, elle peut se perdre rapidement et elle est parfois impossible à retrouver. Elle se bâtit en donnant l'heure juste, en montrant votre compétence et en traitant les autres comme vous aimeriez vous-même être traité.

Organisez-vous avant de vous faire organiser... et de vous en mordre les doigts. C'est votre droit le plus strict, et c'est sans doute ce que font en ce moment même vos concurrents et toutes sortes d'autres groupes sociaux.

Pour aller plus loin

En plus des ouvrages cités dans les pages précédentes, vous trouverez ici quelques suggestions de lecture.

BRANDER, James. *Governement Policy Toward Business*, Toronto, John Wiley and Sons Inc., 2000, 458 pages.

BROOKS, Stephen. et STRITCH, Andrew. *Business and Government in Canada*, Scarborough (Ontario), Prentice Hall Canada, 1991, 757 pages.

CLAMEN, Michel. *Manuel de lobbying*, Paris, Dunod Éditeur, 2005, 432 pages.

GOLDSTEIN, Kenneth. *Interest Groups, Lobbying and Participation in America*, Cambridge (U.K.), Cambridge University Press, 1999, 172 pages.

GOSSELIN, Bruno. *Dictionnaire du lobbying. Vade-mecum*, Colombelles (Calvados, France), Éditions EMS - Management & Société, 2003, 308 pages.

HÉBERT, Martine. *Les secrets du lobbying ou l'art de bien se faire comprendre du gouvernement*, Montréal, Les Éditions Varia, 2003, 170 pages.

LANDES, Ronald. *The Canadian Polity. A Comparative Perspective*, Toronto(Ontario), Prentice Hall Allyn & Bacon Canada, 2002, 496 pages.

OLSON, Mancur. *The Logic of Collective Action. Public Goods and the Theory of Groups*, Cambridge (Mass.), Harvard University Press, 1971, 212 pages.

ROSEN, Harvey.S. *et al. Public Finance in Canada*, McGraw-Hill Ryerson, Toronto, 2003, 758 pages.

TAYLOR, Wayne. *Business and Government Relations*, Toronto, Gage, 1991, 301 pages.

WEIMER, David. et VINING, Aidan. *Policy Analysis. Concepts and Practice*, Upper-Saddle River (New Jersey), Pearson Prentice Hall, 2004, 417 pages.

Notes

1   Je reprends ici le point de vue de Robert J. Samuelson, qu'il exprime dans « Lobbying Is Democracy in Action », *Newsweek*, 22 décembre 2008, p. 29.

2   Voir Alain Dubuc, « Faire payer les riches ? », cyberpresse.ca, 1er février 2010.

3   Je reprends ici, en l'étoffant, la nomenclature évoquée par William Stanbury dans son ouvrage *Business-Government Relations in Canada. Influencing Public Policy*, deuxième édition, Nelson, 1993, chapitre 1.

4   Pour approfondir ces questions, on consultera avec profit Dennis Mueller, *Public Choice III*, Cambridge University Press, 2003. La littérature se rapportant à ce domaine est infinie.

5   Le premier point est de moi. Les quatre autres sont tirés de M. Watkins, M. Edwards et U. Thakrar, *Winning the Influence Game. What Every Business Leader Should Know about Government*, New York, John Wiley & Sons Inc., 2001, p.112.

6 Un bon point de départ est l'ouvrage classique d'André Bernard, édité à de multiples reprises depuis sa parution : *La vie politique au Québec et au Canada*, Québec, Presses de l'Université du Québec, 2000.

7 Voir Louis Côté, *L'État démocratique. Fondements et défis*, Québec, Presses de l'Université du Québec, 2008, p. 75.

8 J'emprunte cette observation à William Stanbury, *Business-Government Relations in Canada. Influencing Public Policy*, deuxième édition, Nelson, 1993, p. 64-65.

9 Voir William Stanbury, *ibid.*, pp. 71-72.

10 Voir Pierre Cliche, *Gestion budgétaire et dépenses publiques. Description comparée des processus, évolutions et enjeux budgétaires du Québec*, Québec, Presses de l'Université du Québec, 2009.

11 Voir Victor V. Murray, « Introduction », dans Victor V. Murray (éd.), *Theories of Business-Government Relations*, Trans-Canada Press, Toronto, 1985. Ici, je m'appuie aussi sur Patrick Robert, « Le lobbying : stratégies et techniques d'intervention », *Gestion*, novembre 1990, p. 70-80.

12 Michael D. Cohen, James G. March et Johan P. Olsen, « A Garbage Can Model of Organizational Choice », *Administrative Science Quarterly*, vol. 17, n° 1, mars 1972, p. 1-2.

13 Même si cet ouvrage classique porte sur la réalité américaine, tout homme d'affaires tirera profit de sa lecture : John W. Kingdon, *Agendas, Alternatives and Public Policies*, deuxième édition, Longman, 2003.

14 Ce point et les suivants sont repris de : Michael Watkins, Mickey Edwards et Usha Thakrar, *op. cit.*, p. 16-25.

15 J'emprunte l'exemple à Michael Watkins *et al.*, *ibid.*, p. 22-24.

16 Je suis ici Patrick Robert, *op.cit.*, p. 74-75, qui s'appuie lui-même sur divers auteurs anglo-saxons.

17 Je m'appuie ici sur William Stanbury, *op.cit.*, p. 194-198.

18 J'emprunte cette suggestion à Michael Watkins *et al.*, *op.cit.*, p. 69.

19 J'emprunte ici largement à Michael Watkins *et al.*, *op.cit.*, p. 149-171.

20 Michael Watkins *et al.*, *ibid.*, p. 163.

21 Voir : *Responsabiliser les acteurs*, rapport d'activité 2008-2009, Commissaire au lobbyisme du Québec, 2009, p. 6.

22 *Ibid.*, p. 12.

23 J'emprunte ici trois exemples évoqués dans le site Web du commissaire au lobbyisme du Québec, parce qu'ils m'apparaissent parmi les plus communs.

24 Bernard Motulsky et René Vézina, *Comment parler aux médias*, collection Entreprendre, Éd. Transcontinental, Montréal, 2008.

25 Je m'appuie ici largement sur Michael Watkins *et al.*, *op.cit.*, p. 176-179.

26 Voir Philip N. Johnson-Laird, *Mental Models*, Cambridge (Mass.), Harvard University Press, 1983.

27 Michael Watkins, *op.cit.*, p. 179.

28 Max Bazerman, *Judgment in Managerial Decision Making*, New York, John Wiley, 1998.

Faites-nous part
de vos commentaires

Assurer la qualité de nos publications
est notre préoccupation numéro un.

N'hésitez pas à nous faire part de
vos commentaires et suggestions
ou à nous signaler toute erreur
ou omission en nous écrivant à :

livre@transcontinental.ca

Merci !

Les Éditions
Transcontinental